Grewelia.

RÉUSSIR SON
BONSAÏ
CONSEILS PRATIQUES

Jean-Daniel NESSMANN
INGENIEUR HORTICOLE

EDITIONS S.A.E.P. INGERSHEIM 68000 COLMAR

AMIS DU BONSAÏ

Ne croyez pas trouver ici un ouvrage pour amateurs chevronnés. Il en existe beaucoup d'autres sur le marché, de bons et de moins bons, et reprendre ce qui a déjà été fait ne serait pas très original.

Non ! Cet ouvrage s'adresse à vous, néophytes, qui découvrez le petit arbre, qui en rêvez peut-être ou qui venez d'en recevoir un et ne savez pas très bien qu'en faire.

C'est avant tout un manuel de conseils pratiques destiné à accompagner vos premiers pas dans la découverte merveilleuse du petit arbre, à apprendre les rudiments de sa vie, de son choix, de sa culture, de son entretien afin que bonsaï, il vous accompagne dans la vie de nombreuses années.

Et cet ouvrage commence par un avertissement : le bonsaï, comme tout être vivant et plus peut-être qu'un animal, est une contrainte ; contrainte de soins quotidiens qui seront décrits plus loin, contrainte de soins saisonniers. Il demande du dévouement, de la patience, de la compréhension, de l'amour. Et ce n'est qu'avec persévérance que votre petit arbre finira par livrer son secret, celui d'une meilleure compréhension de la nature. A travers lui, vous vous sentirez plus responsable de votre environnement et vous jetterez peut-être un regard neuf sur les arbres et sur les plantes qui vous entourent.

A l'heure où la vie et la végétation de notre planète sont fortement menacées, c'est une autre approche et une autre vision de la nature que vous offrira votre bonsaï.

CONNAITRE

LA PLANTE

LE BONSAÏ, UNE AUTRE VISION DE LA NATURE

Le fossé qui sépare l'homme de la nature est toujours plus important et la perception des saisons ne se fait plus qu'à travers la mode sportive ou vestimentaire. Quant à la nature, elle devient un cadre de vie, de décoration et non plus l'élément même de la vie qui permet à l'homme de se régénérer. Sa destruction systématique sous certains climats menace même le maintien de notre biosphère.

L'arbre occupe une place de choix dans cette nature, d'abord par la durée de son existence, par la diversité de ses formes et de ses possibilités d'adaptation, par sa capacité à fabriquer cet oxygène qui nous est indispensable pour vivre. Le respect qui s'attachait autrefois à l'arbre, fournisseur du bois pour la construction, et pour le chauffage, de ses fruits, a disparu. Un arbre est si vite arraché avec une machine, si vite débité avec une tronçonneuse. Songe-t-on au temps qu'il lui a fallu pour pousser ?

Alors le bonsaï ?

Le bonsaï, c'est avant tout cette redécouverte de l'arbre, arbre en tant qu'élément décoratif bien sûr, et c'est souvent par là que le premier rapport s'établit entre l'amateur et le petit arbre ; mais c'est surtout la redécouverte de la nature, de la plante avec ses exigences, du cycle des saisons. Car vouloir un bonsaï pour le bonsaï, comme une œuvre d'art abstraite et indépendante de la nature, est une erreur.

Le bonsaï, c'est la vie, **une autre vision** de la nature. On redécouvre alors au cours de promenades que ce petit arbre que vous gardez en pot existe dans la nature, que les formes que vous lui donnez ne peuvent que s'inspirer de ce que vous observez dans les bois ou dans les champs. Qu'il n'y a rien de nouveau sous le soleil. La nature vous renvoit à votre bonsaï, et votre bonsaï vous renvoit à la nature dans la recherche permanente d'un équilibre, d'une perfection plus grande, d'**une meilleure compréhension** de la vie, des êtres et des choses.

Pour nous Occidentaux, l'essentiel de l'art du bonsaï est là.

Les Orientaux vont plus loin et cela nous amène tout naturellement à quelques définitions et à un peu d'histoire.

LE PETIT ARBRE DANS LA NATURE

Principe du bonsaï

BONSAI est un mot qui vient du japonais et qui signifie arbre en pot (de BON coupe et SAI arbre ou arbuste).

C'est donc un arbre ou un arbuste que l'on cultive dans une coupe ou un pot, et qui tout en présentant les caractères de l'arbre adulte est maintenu dans une taille réduite par différentes techniques culturales.

Contrairement à ce que certains pensent, il ne s'agit pas de martyriser une plante, loin de là. Le petit arbre miniature existe dans la nature. Qui n'a observé en montagne sur une paroi de rochers, sur un vieux mur ou dans un endroit sec et pauvre, des arbres d'une taille minuscule mais présentant tous les caractères de l'arbre normal. La survie de l'espèce oblige dans la nature la plante à s'adapter aux conditions souvent très difficiles qu'elle peut y rencontrer, d'y vivre et d'y fructifier pour assurer la pérennité de l'espèce. C'est là une loi toute naturelle que l'amateur de bonsaï ne fait que respecter en limitant le volume de terre dans lequel pousse son petit arbre.

Limiter ce volume de terre ne veut pas dire laisser mourir la plante de faim et de soif ; au contraire, par des soins continus et appropriés, le petit arbre est entretenu et connaît un développement harmonieux et naturel, mais réduit.

D'autre part, l'équilibre entre le volume limité de terre et la partie aérienne de l'arbre ne peut être maintenu que par la taille. Mais une taille correctement conduite n'est absolument pas mutilante pour l'arbre.

La forêt sauvage primitive où l'homme n'a jamais pénétré est une jungle jonchée de branches mortes, d'arbres cassés ou tordus, souvent difformes. Car la nature n'est pas tendre pour elle-même et si nos forêts paraissent si harmonieuses, c'est parce que l'homme s'y emploie à cultiver les arbres (c'est la sylviculture), à les nettoyer et à supprimer les branches mortes, cassées par la tempête. La taille du bonsaï consiste à respecter l'intégrité de l'arbre ; et supprimer proprement l'une ou l'autre branche, même verte, a moins d'effet sur l'arbre qu'une tempête dévastatrice sur une forêt.

Voici donc deux principes techniques de miniaturisation de l'arbre.

- **Limitation du volume de terre** et techniques culturales appropriées.

- **Taille régulière** de l'arbre pour lui donner une forme harmonieuse.

La taille est parfois accompagnée d'un **ligaturage** provisoire des branches, lorsque l'on veut donner une forme particulière à l'arbre. Cette technique un peu artificielle n'est pas pire qu'un plâtre sur un bras cassé. Elle impose simplement une contrainte à l'arbre pour lui donner la forme recherchée. Cette contrainte peut exister dans la nature : c'est le cas des arbres de bords de mer ou de haute montagne battus par le vent, par exemple.

Pour former un bonsaï, il n'y a aucune technique contre nature. Il y a simplement l'observation très minutieuse et la reproduction de conditions naturelles difficiles pour l'arbre dans le respect de son développement naturel et harmonieux.

Remarque : Dans la miniaturisation de l'arbre, il n'y a aucune modification du patrimoine génétique. L'arbre même petit continue à faire des fruits de taille normale. Un bonsaï même très âgé, replanté en pleine terre dans des conditions particulièrement favorables, pousserait et retrouverait la taille normale et les caractères de son espèce.

Il existe par contre des espèces naines qui avec un minimum de taille ont naturellement un port prostré ou nain. Ces espèces permettent de faire rapidement un bonsaï sans grande difficulté. Dans ce cas, ce n'est pas le traitement qui maintient la plante naine mais le patrimoine héréditaire. On peut citer dans ce cas le *Chamaecyparis obtusa* 'nana gracilis', le *Picea Albertiana* 'conica', le *Pinus mugho pumilo*.

Les espèces naines sont particulièrement intéressantes pour un débutant, car elles sont d'un prix plus faible et se forment aisément.

UNE NOTE D'HISTOIRE

L'origine du bonsaï remonte à la Chine entre le VIe et le Xe siècle où la culture d'arbre en pot constituait une distraction pour la population, au même titre que l'élevage d'un oiseau en cage. La dimension des plantes et des pots était souvent importante, le bonsaï chinois pouvant atteindre 1 mètre et plus, ce qui le caractérise encore aujourd'hui.

Introduit au Japon par les moines bouddhistes au XIIe siècle, de simple distraction, il devint une véritable philosophie, symbolisant l'harmonie entre l'homme et la nature, d'où le respect quasi religieux dont sont entourés les bonsaïs au Japon et leur transmission sacrée au cours des siècles. Oeuvre d'art, philosophie, la maîtrise du bonsaï s'affina jusqu'à obtenir des arbres de plus en plus petits, 40 à 50 cm étant la taille maximum du bonsaï japonais.

A l'origine, l'arbre était toujours prélevé avec beaucoup de soins dans la nature et acclimaté en pot, ce qui lui donnait dès le départ un caractère naturel et de l'âge. Ces prélèvements sont actuellement interdits au Japon et les pépiniéristes ont pris le relais en élevant des plantes destinées à devenir des bonsaïs. Pour hâter le vieillissement, ces plantes sont élevées en pleine terre, ce qui favorise la croissance en épaisseur des tiges avant d'être mises en pot. Il ne faut d'ailleurs pas croire que les espèces cultivées par les Japonais soient très nombreuses. Nous en reparlerons plus loin.

Avec l'évolution de la civilisation industrielle au Japon, l'art du bonsaï se perd malheureusement. Le temps devenant rare, le bonsaï a un peu tendance à devenir une part du folklore et, au fur et à mesure que cet art se développe chez nous, un **objet d'exportation commerciale**. Et il ne faut pas se leurrer, ce que le Japonais exporte actuellement comme poterie ou comme bonsaï n'a plus qu'un lointain rapport avec le bonsaï traditionnel, qu'il se garde bien d'exporter quand il en possède encore.

Alors si le mot japonais de bonsaï garde sa signification de petit arbre en pot, sachons découvrir dans le bonsaï non pas la note d'exotisme à la mode, mais la réalité de la plante et de la vie, sachons créer nous-même et redécouvrir par là la vraie tradition du bonsaï.

CHEZ NOUS, EN EUROPE, LA CULTURE EN POT : UN ART DE TOUJOURS

Car il faut le dire, la culture d'arbres en pot n'est pas spécifiquement japonaise. Depuis le moyen âge, l'Europe cultive des arbres en pot et les magnifiques orangeries du XVIIe siècle en sont la preuve la plus éclatante. Les buts n'étaient pas les mêmes cependant. Il n'y avait en Europe aucune considération philosophique, mais une double recherche à la fois de décoration et de production. Les plantes d'orangerie, en grands bacs, servaient à la décoration des cours, des allées ou des galas. Les orangers et citronniers donnaient des fruits. Les plantes d'origine méditerranéenne offraient cette note d'exotisme dont raffolaient les princes de l'époque. Leur hivernage posait cependant de gros problèmes d'où la construction d'orangeries, bâtiments imposants, très clairs et hors gel, de grande hauteur (5 à 10 mètres) où étaient remisés en hiver les arbres en bacs. Palmiers et orangers étaient les espèces les plus utilisées et les techniques de culture en pots étaient tout à fait identiques à celles pratiquées pour le bonsaï.

Ficus Carica - Figuier en pot.

Orme (Ulmus) (20 ans environ).

ALORS..., IMITER OU INNOVER ?

A l'heure où le bonsaï prend une place sur tous les continents et en particulier en Europe, à l'heure où les Japonais eux-mêmes perdent un peu l'authenticité de ce qui fut pour eux une tradition philosophique et mystique, il serait stupide que nous Européens cherchions à imiter une culture (au sens social du terme) qui nous échappe totalement.

En dehors d'un loisir plein de richesse et de découvertes, sachons à travers le bonsaï, retrouver dans le petit arbre une meilleure compréhension et un respect plus grand de la vie et de la nature.

Le bonsaï est une plante vivante : les techniques de culture sont universelles ; mettons en commun nos découvertes et nos connaissances ; mais le bonsaï est aussi une œuvre d'art, alors essayons de nous projeter dans le bonsaï, de nous reconnaître et nous retrouver dans l'arbre, dans son choix, dans la forme que nous lui donnerons. Comprendre l'autre pour mieux se connaître soi-même, dans un souci de recherche et de perfection. Ne pas chercher à imiter à tout prix, ne pas tomber dans l'erreur de vouloir "faire japonais". Faisons notre bonsaï avec nos yeux et notre cœur en suivant notre goût et notre sensibilité. C'est la première condition pour réussir son bonsaï.

Si l'art du bonsaï est pluricentenaire au Japon, son apparition en Europe date de la fin du siècle dernier, à l'Exposition universelle de 1878.

Au début du siècle, Albert Kahn créa un superbe jardin japonais à Paris, qui existe toujours, où figuraient d'authentiques et magnifiques bonsaïs offerts par l'Empereur du Japon. Ceux-ci furent malheureusement volés et l'on peut visiter le jardin Kahn* de nos jours, mais sans ses bonsaïs.

La mode actuelle du bonsaï en Europe date d'une dizaine d'années et l'apparition du bonsaï commercial de quelques années seulement, mais avec quel succès et quel développement.

---

* **Le jardin KAHN** est le plus ancien et sans doute le plus intéressant jardin japonais en France.

Adresse : 1 rue des Abondances à BOULOGNE-BILLANCOURT (Métro Pont de St-Cloud) ouvert au public de mars à novembre.

Restauré en 1988, il mérite plus qu'une brève visite ; à travers ce jardin, c'est l'âme du Japon qui jaillit.

Charme (8-9 ans).

LES CLUBS

Dans le but de mieux connaître cet arbre miniature, de nombreux clubs se forment un peu partout.

Les clubs d'amateurs de bonsaïs sont une nécessité, car outre le caractère convivial qu'ils offrent, ils permettent à l'amateur de progresser en échangeant idées, techniques, connaissances. Mais attention, pour pouvoir réellement avancer, un club "bonsaï" doit avoir une structure juridique (type Association Loi 1901), un support technique valable, et une organisation interne qui lui permettent de tourner.

- La structure juridique ne pose guère de problèmes. Il suffit de déposer des statuts au Greffe du Tribunal d'instance du Siège social du club. Les statuts doivent cependant faire l'objet d'une discussion préalable entre les membres fondateurs du club.

- Le support technique est important. Un groupe d'amis bien intentionnés ne suffit pas toujours à assurer la bonne marche technique d'un club, et la présence d'un professionnel ou d'un technicien est indispensable pour garantir un certain niveau de connaissances et permettre au groupe de progresser valablement. Il faut cependant attirer l'attention sur le fait que certains professionnels risquent d'utiliser le club comme un débouché naturel pour la vente de leur produit, ce qui peut entraîner des tensions au niveau des clubs, ou en faire des clubs purement commerciaux. C'est là un risque non négligeable de dispersion du club ou de déception. L'avantage réside dans le dynamisme que le professionnel peut donner au club, dynamisme lié au propre développement de son affaire. Cet aspect des choses est important et il faut le souligner , l'idéal étant la présence d'un technicien ou d'un professionnel non commerçant au sein d'un club.

- Dernier aspect et non des moindres malgré l'évidence du propos : l'organisation interne du club qui dépend bien souvent du secrétariat et du trésorier. Un programme clairement établi, des réunions régulières avec un sujet bien défini, des cotisations qui rentrent, un budget sain, des réunions bien dirigées, des convocations qui arrivent à temps, autant de facteurs qui contribuent à la bonne marche du club.

Un mot enfin sur le nombre de participants. Il n'y a bien sûr pas de norme, mais un club a besoin d'un nombre minimum d'adhérents pour pouvoir vivre, ne serait-ce que pour compenser les absences inévitables. Certains clubs se réduisent bien souvent à un président très dévoué et à quelques membres actifs. D'autres clubs par contre sont hypertrophiés et sont obligés de se fractionner.

Il ne faut pas oublier l'objectif de base : les réunions sont des séances techniques de formation théorique accompagnées de travaux pratiques.

Dépasser 20 membres par réunion est souvent une gageure pour celui qui la dirige. Aussi 30 à 40 membres (en tenant compte des absences) nous paraît être un chiffre idéal pour un club.

LA LITTERATURE

Parallèlement une abondante littérature a envahi les étalages des libraires et il est parfois possible de se perdre parmi les titres et surtout les photos alléchantes des ouvrages traitant du bonsaï.

Tout dépend bien sûr du niveau personnel de connaissances et de recherches individuelles et de ce que l'on attend d'un ouvrage sur les bonsaïs.

Pour l'initiation au bonsaï, point n'est besoin d'ouvrages chers et il vaut mieux acquérir 4 ou 5 ouvrages pour un prix modique, ouvrages simples qui se complétent, qu'un gros ouvrage, peut-être richement illustré, mais peut-être aussi incomplet ou trop compliqué pour le débutant.

Erable du Japon - Photographie prise au Japon.

Collection japonaise.

LE BONSAÏ :
AVANT TOUT UN ETRE VIVANT !

APPRENDRE A APPELER LES PLANTES PAR LEURS NOMS

Pour pouvoir communiquer, il faut utiliser un vocabulaire et des termes identiques et appropriés.

Si le vocabulaire botanique paraît à priori rébarbatif, il est cependant indispensable non seulement pour la description de la plante, mais tout simplement pour pouvoir l'appeler par son nom.

Le nom des plantes

L'appellation d'une plante prête souvent à confusion, car outre son nom français, national, la plante a parfois des synonymes régionaux, voire locaux, ce qui est souvent cause d'interprétations variées ou d'erreurs importantes.

C'est pourquoi, le latin, langue morte, mais largement pratiquée par les milieux scientifiques jusqu'au XXe siècle a été retenu comme langue unique internationale pour fixer le nom de tous les êtres vivants (animaux, végétaux, champignons et bactéries). Cela demande un petit effort de mémoire mais cela simplifie bien les choses, car au moins dans n'importe quel pays, on sait que l'on parle de la même chose.

Le nom des plantes : exemple du pommier.

Chaque plante a donc son nom latin qui est décomposé en deux parties :

- le nom de genre : *Malus* - Pommier
- le nom d'espèce : *communis* - commun.

Le nom de genre s'écrit avec une majuscule, le nom d'espèce en minuscule. Souvent, surtout pour les espèces horticoles ayant fait l'objet de sélection s'ajoute :

- le nom de la variété : Reine des Reinettes.

qui caractérise une espèce particulière. Il en est ainsi de toutes les variétés de pommes que nous trouvons sur le marché.

Chaque plante est rattachée à une famille dont le nom est fréquemment mentionné, parce que connaître les caractères de la famille permet de connaître déjà un peu les caractéristiques de la plante. (Pour le pommier : famille : Rosacées ou *Rosaceae.*)

Ces caractères sont de deux sortes :

- Morphologiques : qui correspondent aux formes apparentes de la plante (morphologie = étude des formes).

- Physiologiques : c'est l'étude du fonctionnement des organes de la plante.

APPRENDRE A CONNAITRE L'ARBRE

Il ne s'agit pas d'entrer ici dans l'étude détaillée de la plante, mais il est indispensable de connaître les différentes parties de la plante et les termes principaux qui la caractérise. Pour bien comprendre comment vit un arbre, et de ce fait pour mieux s'en occuper, il est nécessaire de connaître les principales fonctions vitales et celles de chacune des parties qui le composent.

La plante présente une partie souterraine et une partie aérienne.

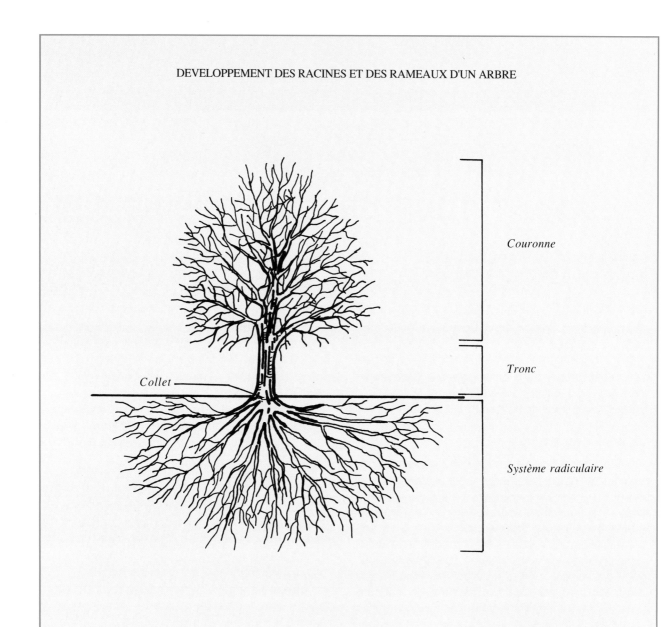

DEVELOPPEMENT DES RACINES ET DES RAMEAUX D'UN ARBRE

Couronne

Collet

Tronc

Système radiculaire

Dans la nature, à l'inverse du bonsaï, le volume du système radiculaire est supérieur au volume de la partie aérienne.

La partie souterraine

Ce sont les racines dont l'ensemble forme le système radiculaire. On distingue la ou les racines principales, les racines secondaires et les radicelles. La racine a une structure différente de la tige et est caractérisée par l'absence de chlorophylle. C'est pourquoi la mise brutale hors de terre d'une racine doit être évitée.

Il faut noter également que dans certains cas, ce que l'on trouve sous terre n'est pas forcément une racine, ainsi le rhizome (fougère, bambou), le tubercule (pomme de terre), le bulbe (tulipe) ne sont pas une racine, mais une tige souterraine sur laquelle se développent les racines.

Rôle de la racine :
La racine a un rôle multiple :
- Elle fixe la plante au sol. L'ancrage de la plante dépend du volume de l'arbre; on compte environ 1 fois et demi du volume aérien, le sol exploré par les racines, mais cela dépend bien sûr des conditions de milieu (vent, pente, perméabilité du sol).
- Elle pompe l'eau et les sels minéraux dissous nécessaires à la croissance de la plante, rôle essentiel qui conditionne la survie de la plante.

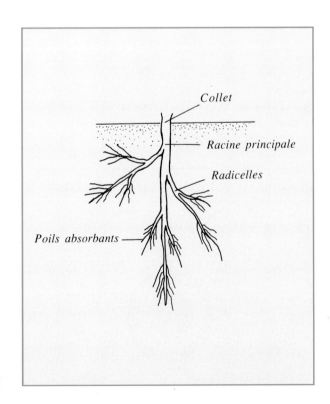

- Elle respire, ce que l'on ignore trop souvent. Mises à part les plantes aquatiques qui peuvent vivre dans un milieu totalement anaérobie (c'est-à-dire privé d'air mais non d'oxygène), les racines respirent et ont besoin d'air ; c'est pourquoi un sol trop compact ou un excès d'arrosage est souvent à l'origine de la mort de la plante par asphyxie de racines qui pourrissent et ne peuvent plus remplir leur rôle.

La partie aérienne

La partie aérienne est par définition ce que l'on voit de la plante hors du sol. On distingue :

❑ **Le collet**
Le collet est cette partie située au ras du sol par où la plante semble fixée. Le collet est très important : toutes les racines y convergent ainsi que toutes les tiges. C'est le point de passage obligé de la circulation de la sève, le point d'attache au sol. Il y a à ce niveau une transposition des tissus ligneux de la racine vers la tige, qui fait que le collet d'un arbre ne doit être ni profondément enterré, ni trop dégagé. Il est possible dans le travail du bonsaï de dégager le collet pour avoir une belle image du départ des racines. Cela doit toujours être fait progressivement en évitant l'exposition brutale au soleil, car les racines changent de structure.

❑ **La tige**
Une jeune tige est verte et s'élève toujours à la verticale. Chez l'arbre, cette tige s'entoure très vite d'une écorce subéreuse (ou liège) plus ou moins épaisse, destinée à la protéger contre le froid, la sécheresse ou les accidents naturels. On distingue la tige principale qui se divise en tiges secondaires ou rameaux ; chez l'arbre, c'est le tronc avec ses branches.

La tige s'appelle stipe chez le palmier, liane pour une tige grimpante, rhizome dans le cas d'une tige rampante (pour le fraisier c'est le stolon), chaume pour les céréales et les graminées, tubercule pour la pomme de terre et bulbe pour la tulipe (dans les 2 derniers cas il s'agit de tiges souterraines).

Rôle de la tige :
Le rôle de la tige est double :
- Elle a tout d'abord une fonction de support qui devient très important chez l'arbre du fait du poids de la ramure. Ce rôle de support est essentiellement assuré par le bois (ou cœur).

- Elle a ensuite un rôle de transport de la sève, sève brute (eau + sels minéraux) pompée par les racines qui monte vers le feuillage, sève élaborée chargée de sucre qui descend du feuillage vers les racines.

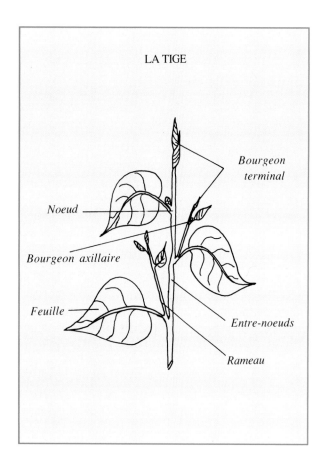

LA TIGE

Bourgeon terminal

Noeud

Bourgeon axillaire

Feuille

Entre-noeuds

Rameau

La coupe d'un tronc d'arbre âgé nous montre trois parties (schéma de droite) :

- Une partie centrale ou **cœur**, très dure, marquée par des cercles concentriques, chaque cercle correspondant à une année de vie de l'arbre. C'est le bois mort, âgé où la sève ne circule plus, mais qui continue à jouer un rôle de support. Certains arbres très vieux et creux vivent très bien sans ce cœur qui a pourri. Ils sont cependant sensibles aux tempêtes et risquent de tomber à tout moment.

- Une partie périphérique plus claire, c'est l'**aubier**. Cette partie vivante est constituée vers l'intérieur par les vaisseaux du bois qui transportent la sève brute des racines vers les feuilles, vers l'extérieur par le liber qui assure le retour de la sève

élaborée des feuilles vers les racines. Quand on coupe une branche au printemps et qu'elle "pleure", c'est par le bois de l'aubier qu'arrivent les gouttes de sève brute qui s'écoulent.

L'aubier a donc une double fonction, c'est le support vivant de la plante et le système de transport de la sève des racines vers les feuilles et des feuilles vers les racines.

- Une partie externe ou **écorce**, très fortement liée d'ailleurs au liber, ce qui fait que lorsque l'on arrache l'écorce d'un arbre, le liber vient avec.

L'écorce a un rôle de protection contre les agents extérieurs (froid, chaleur, animaux). Lorsque l'écorce et le liber d'un arbre sont arrachés sur toute la périphérie de l'arbre, l'arbre peut continuer à vivre un certain temps étant alimenté en sève brute, mais les racines vont disparaître, ne pouvant plus se développer faute de sève élaborée, et l'arbre finira par dessécher.

L'écorce présente toujours à sa surface de petites fentes ou lenticelles qui servent à la respiration et à l'évaporation de l'arbre. Ces lenticelles sont très visibles sur le jeune bois du cerisier par exemple.

Croissance en épaisseur du tronc.

Le tronc de l'arbre s'épaissit en vieillissant. C'est d'ailleurs ce que l'on recherche pour avoir un bonsaï respectable. Cet épaississement du tronc est causé par deux assises génératrices périphériques.

La première externe se situe dans l'écorce et s'appelle l'assise génératrice subéro-phellodermique. Elle assure le renouvellement de l'écorce qui se desquame (cela est très visible sur le platane par exemple) en vieillissant.

La seconde est l'assise génératrice libéro-ligneuse, c'est le *cambium*. Elle assure la croisance en épaisseur du tronc en fabriquant le bois et le liber.

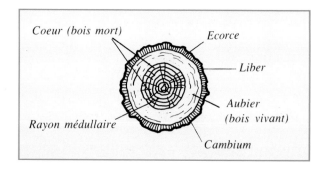

Coeur (bois mort)

Ecorce

Liber

Aubier (bois vivant)

Rayon médullaire

Cambium

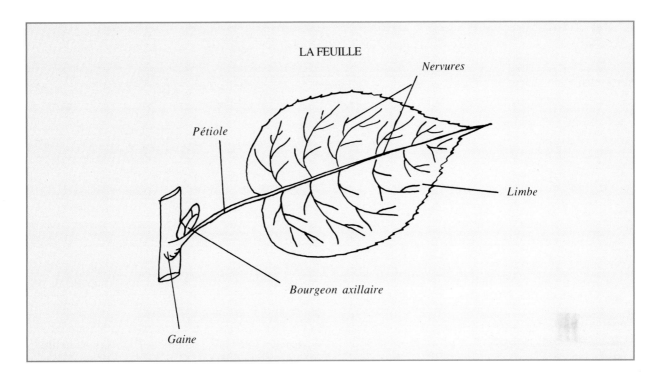

LA FEUILLE

Nervures

Pétiole

Limbe

Bourgeon axillaire

Gaine

□ La feuille

La feuille fait le charme de l'arbre et le caractérise. Elle a une croissance limitée que l'on cherche à réduire au maximum sur le bonsaï.

Une feuille comporte un limbe avec des nervures, un pétiole qui rattache le limbe à la tige et une gaine qui insère le pétiole sur la tige.

La forme des feuilles peut être très variée et caractérise la plante qui les porte.

Le schéma ci-dessous montre les différentes formes de feuilles que l'on peut trouver.

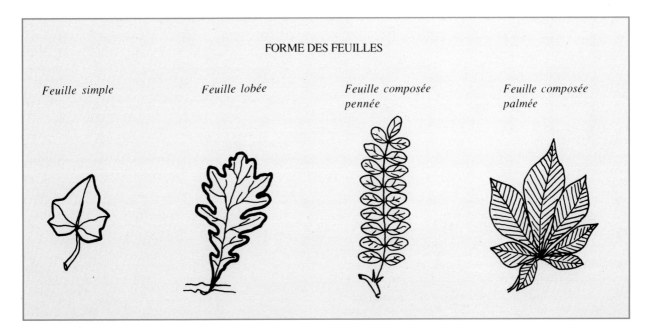

FORME DES FEUILLES

Feuille simple   Feuille lobée   Feuille composée pennée   Feuille composée palmée

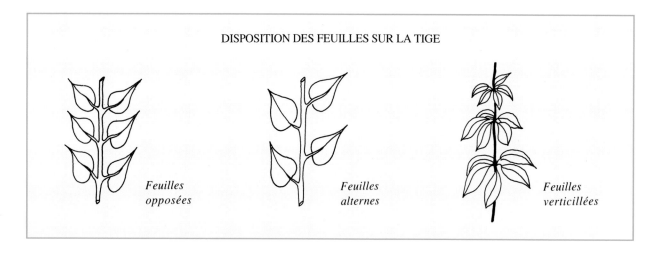

DISPOSITION DES FEUILLES SUR LA TIGE

Feuilles opposées

Feuilles alternes

Feuilles verticillées

L'aiguille du pin ou du sapin est une feuille.

La disposition des feuilles sur la tige est importante à connaître.

On distingue les feuilles à disposition alterne, opposée ou verticillée.

La feuille peut subir des modifications importantes.

Elle peut se transformer en vrille (vigne), en écaille (bourgeon), en épine (cactus), en écaille charnue (lis), en pièces florales.

On dit qu'un arbre est à feuilles caduques quand il perd ses feuilles à l'automne. Dans le cas contraire, il est dit persistant, ce qui est le cas de presque tous les conifères.

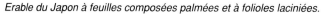

Erable du Japon à feuilles composées palmées et à folioles laciniées.

Branche de cerisier en fleurs.

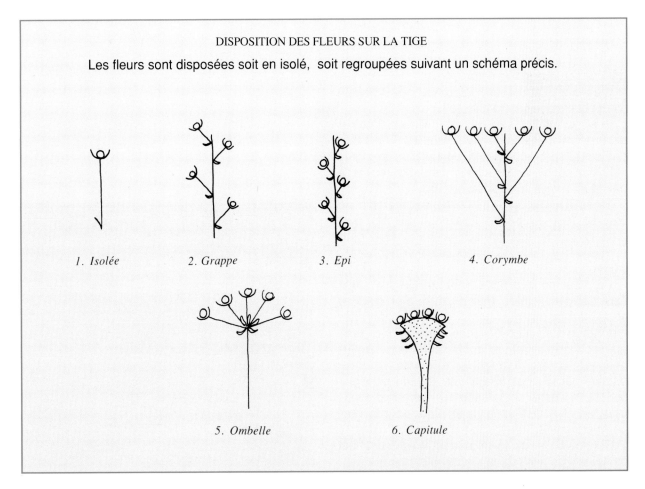

DISPOSITION DES FLEURS SUR LA TIGE

Les fleurs sont disposées soit en isolé, soit regroupées suivant un schéma précis.

1. Isolée   *2. Grappe*   *3. Epi*   *4. Corymbe*

5. Ombelle   *6. Capitule*

APPRENDRE A CONNAITRE LES BESOINS DE LA PLANTE

Le sol

Le sol est le support de la plante. Il joue donc un rôle essentiel vis-à-vis de celle-ci, mais il n'est ni neutre, ni inerte ; c'est dans le sol que se développent les racines qui y puisent tous les éléments nécessaires à la croissance et au développement de l'arbre.

Un sol est caractérisé par les éléments qui le composent, à savoir :
- le sable, particules grossières de 2 mm à 0,02 mm,
- l'argile, particules très fines inférieures à 0,002 mm,
- le limon, particules moyennes de 0,02 à 0,002 mm,
- la matière organique ou humus.

C'est la proportion plus ou moins importante de ces 4 éléments qui déterminera la nature du sol.

Un sol sableux contient 50 à 80 % de sable.

Un sol argileux 30 à 50 % d'argile et de limon.

Un sol limoneux 10 à 40 % d'argile et de limon.

Un sol humifère sera très riche en humus, de 30 à 80 % pour les terres de bruyères.

C'est le mélange harmonieux de ces 4 constituants qui fera la qualité d'un sol.

Si le sol est trop sableux, donc filtrant, il ne retient rien du tout et la plante dessèche. S'il est trop argileux, l'eau ne peut pas s'écouler et la plante périt par asphyxie de racines. Le sable facilite le drainage, l'argile la rétention de l'eau.

Le sol joue donc un rôle pour la rétention de l'eau et pour une bonne aération. Il doit être perméable, tout en retenant suffisamment d'eau pour permettre à la plante de puiser ce qui lui est nécessaire pour vivre.

Ce mélange joue également un rôle primordial dans l'alimentation de la plante. Il sera en quelque sorte son **garde-manger**. Ce rôle est parfaitement tenu par un assemblage de matière organique et d'argile appelé aussi "complexe argilohumique" qui fixe à la fois les éléments minéraux nutritifs nécessaires à la plante et l'eau pour dissoudre et mettre en solution ces éléments minéraux. La vie microbienne y a sa place pour faciliter ce phénomène.

Comme on le voit, le sol joue un rôle important et complexe vis-à-vis de la plante. C'est un élément d'autant plus important que le faible volume de terre utilisé pour les bonsaïs ne permet pas de tâtonnement. Un sol équilibré et bien adapté à chaque espèce de plante est indispensable. Nous reverrons ce point plus en détail dans le chapitre consacré au rempotage et à la fertilisation (pages 44, 57 et 74).

Les conditions de vie de la plante

Pour vivre une plante a besoin d'eau, d'air, de lumière, de chaleur.

Ces 4 éléments sont indissolublement liés, l'absence de l'un d'entre eux entraîne la mort de la plante.

❑ L'eau

Il n'est pas rare d'entendre dire que l'eau est la source de toute vie sur terre et que la vie est née dans le milieu aquatique (marin même pour être précis). C'est vrai, mais en fait c'est la conjugaison des 4 éléments qui est à l'origine de la vie et permet la survie sur notre planète.

Pour un bonsaï, au volume de terre limité et souvent exposé à des conditions inhabituelles, l'absence de l'eau est rapidement dramatique, mais son excès peut avoir également des conséquences graves.

Le rôle de l'eau dans la plante qui en contient jusqu'à 80 % de son poids, voire plus pour les espèces herbacées, est de dissoudre les éléments minéraux du sol ; elle passe dans la plante et circule sous forme de sève brute jusqu'aux feuilles. Elle y permet le phénomène de l'assimilation chlorophyllienne puis redescend par le liber vers les racines sous forme de sève élaborée. Une partie importante de cette eau est d'ailleurs évaporée par la plante. C'est le phénomène de l'**évapotranspiration** qui permet à la plante de conserver sa fraîcheur même par très fortes chaleurs et de ne pas griller.

Lorsque la plante manque d'eau, c'est le **flétrissement**. Il peut être temporaire dans un premier stade et, si l'on arrose la plante à temps, celle-ci se remet. Au-delà de ce stade, le flétrissement devient permanent et la plante meurt de soif. Il n'y a alors plus rien à faire.

C'est un phénomène qu'il faut savoir observer avec beaucoup d'attention sur le bonsaï, car le manque d'eau peut rapidement tourner à la catastrophe par journée très chaude et par grand vent sec.

La résistance des plantes à la sécheresse est d'ailleurs très variable. Il faut cependant dire que la plupart des bonsaïs japonais sont originaires d'un pays à climat océanique et maritime donc humide et qu'ils sont souvent difficiles à conserver sous climat sec et chaud.

La plante est approvisionnée en eau par l'arrosage, par bassinage ou par pulvérisation d'eau sur le feuillage pour maintenir une ambiance humide. Cette question sera reprise plus en détail dans le chapitre sur l'arrosage (page 76).

❑ L'air

L'air est aussi nécessaire à la plante qu'à l'homme. La plante y puise d'abord l'oxygène nécessaire à sa respiration ; elle y trouve le gaz carbonique indispensable le jour pour l'assimilation chlorophyllienne ; l'air contient l'azote qui est fixé par les microorganismes du sol et rendu ainsi disponible pour la plante. L'air enfin transporte de l'eau sous forme gazeuse et cette humidité atmosphérique (ou hygrométrie) est importante pour la plante. Dans une ambiance trop sèche, la plante se défend contre la sécheresse et sa croissance s'en trouve ralentie, voire totalement arrêtée.

Un milieu confiné et sans air est favorable au développement des parasites (maladies cryptogamiques, puceron, araignée rouge).

❏ **La lumière**

C'est bien sûr l'une des conditions de la vie de la plante. Privée de lumière, une plante s'étiole et meurt. Une plante n'ayant pas assez de lumière pousse démesurément, mais est incapable de se soutenir et finit par périr.

Les besoins en lumière sont variables d'une espèce à l'autre. Certaines veulent le plein soleil, d'autres la mi-ombre, car elles ne supportent pas le soleil direct. Il faut en tenir compte dans la culture du bonsaï et surtout ne pas essayer d'acclimater une plante d'extérieur en appartement, comme le pin par exemple.

Le rôle de la lumière a été mentionné plus haut dans l'assimilation chlorophyllienne.

❏ **La chaleur**

C'est un peu le complément de la lumière, car sans lumière, pas de chaleur. C'est en fait l'intensité lumineuse solaire qui apporte la chaleur. Et sans chaleur, la vie végétale s'arrête ou disparaît ; c'est le cas de l'hiver notamment où les plantes entrent en repos de végétation. La chaleur est nécessaire à la croissance de la plante ; sous nos climats, l'alternance des mois chauds d'été et des mois froids d'hiver donne à la plante une croissance réduite à quelques mois seulement, alors que sous le climat tropical, la croissance est continue, parfois même extrêmement rapide si la chaleur se conjugue avec une forte humidité.

En haute montagne ou dans les déserts où les variations de température nuit/jour sont très importantes, la végétation se raréfie pour être tout à fait absente vers les hauts sommets.

Nous verrons plus loin que cette notion de variation de température dans un laps de temps très court peut avoir une grosse influence sur la vie du bonsaï et qu'il faut en tenir compte, en particulier l'hiver (voir paragraphe sur l'hivernage page 77).

COMMENT OBTENIR

UN BONSAÏ

Genévrier traité en JIN.

Présentation commerciale de bonsaïs d'intérieur.

ACHETER UN BONSAÏ

Avant de prendre la décision d'acheter un bonsaï, il faut bien savoir quelles exigences de soins cela représente. Un bonsaï n'est pas une plante en pot ordinaire. C'est une plante, bien sûr, dont on cherche à maîtriser la végétation par un volume de racines réduit et une taille suivie. C'est une plante qui exige beaucoup de soins, de patience, de persévérance. C'est également une œuvre d'art en évolution permanente, ce qui implique une recherche et un sens de l'observation constants.

Il faut savoir que le bonsaï exige des soins quasi quotidiens, qu'en cas de vacances ou d'absence, les soins doivent être maintenus de la même façon. Que de désillusions, lorsqu'un oubli ou une erreur entraîne la mort du petit arbre. C'est pourquoi l'achat doit être un acte réfléchi ; les coups de foudre sont souvent suivis de déception.

Acheter pour offrir ou acheter pour soi-même ?

Voilà une question importante.

- L'achat pour offrir est délicat. Cela peut même être un cadeau empoisonné. En effet, il faut être sûr que la personne à qui on veut offrir un bonsaï, aime le bonsaï. Ce n'est pas toujours évident. Il faut savoir si elle peut lui consacrer du temps et si cela ne l'engagera pas malgré elle à maudire le cadeau reçu. Il faut savoir enfin, le bonsaï étant une œuvre d'art, si cette œuvre d'art correspond au goût de la personne à qui elle est destinée. Un véritable amateur voudra choisir personnellement son bonsaï et ne sera peut-être pas du tout sensible au cadeau qu'il recevra.

Donc si vous voulez acheter pour offrir : attention ! Il vaut mieux se renseigner avant, d'autant que c'est un cadeau onéreux qui pourrait très vite finir à la poubelle.

- Acheter pour soi-même, c'est éprouver un désir, une passion peut-être, satisfaire une envie ou peut-être aussi succomber à une mode. La motivation devra être clairement perçue.

Alors là, un premier conseil qui s'adresse au néophyte, si vous voulez vous initier au bonsaï, commencez par un bonsaï peu cher et facile, fini ou à faire. La liste de la fin de cet ouvrage doit faciliter votre choix. En cas de malheur, la perte est moins lourde et vous pourrez vous initier à la fois avec plusieurs bonsaïs différents, ce qui permet des comparaisons toujours fructueuses. On s'attache d'ailleurs beaucoup plus à une jeune plante que l'on élève, comme à un jeune chien par exemple.

D'où viennent les bonsaïs et où acheter ?

Il faut le dire, les très beaux exemplaires d'origine japonaise ou chinoise, n'existent pratiquement pas sur le marché et sont des pièces que seuls les amateurs fortunés et connaisseurs peuvent acheter.

Par contre le marché est littéralement inondé par des bonsaïs industriels, provenant soit de pépinières orientales où la fabrication industrielle existe depuis longtemps, comme Taiwan, la Chine, le Japon, la Thaïlande, ou de pépinières plus proches de nous en Hollande, en Allemagne, en France ou même en Israël.

Inutile de dire que la plupart de ces bonsaïs industriels n'ont qu'une valeur très moyenne et que les prix du commerce sont en général très surfaits. Un bonsaï cher n'est pas forcément un beau bonsaï et il vaut mieux, avant de se lancer, se faire conseiller par un amateur.

Alors où acheter son bonsaï ?

Les points de vente se multiplient ; même les grandes surfaces présentent maintenant un rayon bonsaï, et les prix sont très variables pour un même article d'un point à un autre. S'il vaut mieux acheter chez un vrai professionnel du bonsaï, il en existe actuellement un peu partout, il faut savoir qu'il y sera plus cher, ce qui est normal dans le cadre de sa spécialisation. On peut parfois trouver des occasions remarquables dans certains rayons de jardinerie ou de magasins non spécialisés mais pour cela il faut être conseillé par un connaisseur.

Il arrive que l'on soit tenté de rapporter d'un voyage en Extrême-Orient un bonsaï-souvenir dont le prix n'a rien de comparable avec ce que l'on trouve chez nous. Attention ! L'importation de végétaux est contrôlée voire interdite, car l'introduction de parasites et de maladies des plantes peut être à l'origine d'épidémies dramatiques, d'autant plus que ces plantes sont souvent très parasitées, soit au niveau du feuillage, soit des racines.

Rapportez de vos vacances des photos et de bons souvenirs, cela vaut mieux ; les plantes voyagent d'ailleurs très mal.

Quelques conseils pour bien acheter

Il faut :

- Savoir ce que l'on veut et quel type de plante on souhaite acquérir : bonsaï d'intérieur ou bonsaï d'extérieur.

- Vérifier l'aspect général de la plante. Elle doit être saine, sans feuilles jaunes, bien formée. Un tronc assez gros coupé brutalement pour favoriser le départ de jeunes pousses est une chose fréquente. Il ne s'en remettra pas et cette plante est à exclure absolument. D'autre part, les racines apparentes, sauf s'il y a une recherche dans ce sens, indiquent le rempotage récent d'un jeune plant et prouve que vous n'avez pas à faire à un bonsaï de qualité.

- Etre sceptique quant à l'âge indiqué et demander au vendeur de vous expliquer comment il calcule l'âge d'un bonsaï. Cela est très difficile, voire impossible, et seul un pépiniériste qui a cultivé la plante depuis le départ est à même de vous dire son âge. Il ne faut surtout pas se laisser berner par un affichage ou par des affirmations qui exagèrent toujours l'âge de la plante (et par là même son prix).

- Ne pas être insensible à la poterie. Cette question sera traitée plus loin, mais soyez attentif à la qualité du pot. La coupe a une origine industrielle et certaines coupes surtout pour les bonsaïs vendus finis sont de qualité très médiocre. Comparer les coupes vides vendues dans le magasin avec la coupe du bonsaï. Vous verrez sans difficulté qu'il y a bien souvent une différence importante de qualité.

- Faire dépoter le bonsaï par le vendeur et examiner ses racines ; la plante doit être solidaire de la motte qui doit venir d'un seul coup, le pain de racines doit être homogène et les racines claires, bien vivantes. Si la motte se désagrège, n'insistez pas. La mousse au pied de l'arbre est souvent un signe de bonne implantation.

- La partie aérienne doit être bien fournie. Il se peut que la plante ait encore quelque fil de cuivre pour la ligaturer. Ce n'est pas grave, mais veillez à ce que ces fils ne soient pas incrustés dans le bois. Cela ne se remet pas.

- Veiller enfin à ce qu'il n'y ait pas de parasites sur la plante, ceux-ci se cachent bien souvent sous les feuilles où ils causent le plus de dégâts.

L'achat du bonsaï doit se faire dans un magasin spécialisé, dans un établissement horticole ou une pépinière qui a opté pour cette spécialisation. Il faut non seulement trouver un choix suffisant, mais aussi des conseils pour l'achat, l'entretien, la taille. Un point de vente spécialisé doit offrir aussi une gamme de pots, terreau, outils et accessoires pour cet entretien.

Le cas échéant, le vendeur doit pouvoir prendre votre plante en pension, ou au moins pouvoir lui pratiquer des soins courants comme une taille, un rempotage ou un traitement antiparasitaire.

FAIRE SON BONSAÏ

TECHNIQUES DE MULTIPLICATION

Il est un peu illusoire de vouloir absolument multiplier soi-même les végétaux destinés à être formés en bonsaï. Non pas que ce soit impossible, loin de là, tout jardinier amateur sait pratiquer semis, bouture, greffe ou marcotte. Mais pour obtenir un ou deux plants, est-il bien nécessaire de pratiquer un semis aléatoire ? Et l'expérience nécessaire n'évite pas toujours les échecs, même chez le professionnel. La technique de multiplication est une chose, l'élevage de la plante en est une autre et il vaut souvent mieux bien choisir sa plante et l'élever.

Nous nous contenterons donc ici de donner les modes de multiplication, sans entrer dans la description de leur pratique et nous renvoyons aux ouvrages d'horticulture spécialisés l'amateur qui voudrait approfondir la question.

On distingue deux types de multiplication :
- la multiplication sexuée à partir de graines,
- la multiplication asexuée ou végétative à partir d'un fragment de plante.

❑ **La multiplication par graines**.

C'est le processus de reproduction le plus répandu dans la nature et le moyen le plus simple d'obtenir une nouvelle plante.

La plante a une fleur dont la finalité est la graine qui assure la reproduction ; sa dissémination permet la survie de l'espèce. Une plante produit un très grand nombre de graines dont seul un petit nombre arrive au stade du végétal adulte.

La multiplication par graines a pour particularité de donner des plantes qui ne sont pas tout à fait identiques aux parents. C'est par ce procédé que l'on peut obtenir par croisement entre espèces différentes ou entre variétés différentes, des plantes tout à fait nouvelles dites "hybrides". La plupart des espèces horticoles ont ainsi été obtenues par sélection à partir de semis de graines, après que les caractères propres de la nouvelle variété aient été reconnus et fixés.

La technique du semis est courante pour tout amateur de jardinage.

Attention ! Il n'existe pas de graines de "bonsaï" ! C'est un argument commercial fallacieux. Ne vous laissez pas avoir par de tels arguments.

❑ **La multiplication asexuée.**

Lorsqu'une plante issue d'un semis naturel ou d'un croisement provoqué par l'homme présente des caractères intéressants, il est possible de la multiplier par voie dite **végétative**, c'est-à-dire de la reproduire identiquement à elle-même un très grand nombre de fois.On fait alors appel à des techniques particulières qui sont :

- Le **bouturage** : on prélève un fragment de tige (parfois de feuille) avec quelques bourgeons et on pique ce fragment de plante dans un mélange de sable et de tourbe maintenu humide jusqu'à ce qu'il prenne racine et forme ainsi à son tour une plante indépendante. C'est le procédé le plus simple et le plus facile à réaliser.

- Proche du bouturage est le **marcottage** qui est un procédé tout à fait naturel : une branche d'arbre ou d'arbuste est recouverte de terre et prend racine tout en restant attachée au pied-mère. Si on la sépare du pied-mère, elle devient indépendante tout en conservant les caractères de la plante dont elle est issue.

- La **division de touffe** est un moyen de multiplier une plante en éclatant la touffe qu'elle forme pour obtenir de petites touffettes munies de racines et de feuilles. Pour la culture du bonsaï cette technique n'est valable que pour le bambou ou certaines fougères.

- La **greffe** est par contre un mode de multiplication tout à fait artificiel. Elle consiste à associer deux végétaux ayant des caractères propres, l'un le porte-greffe pour la racine et le support, l'autre le greffon pour ses qualités de production ou décoratives. Les caractères du porte-greffe sont très importants car ils conditionnent la survie de la plante. L'affinité entre le porte-greffe et le greffon peut être bonne ou médiocre. Dans le premier cas, il n'y aura qu'un bourrelet de greffe à peine visible. Dans le second cas par contre, le bourrelet de greffe sera volumineux et particulièrement inesthétique. C'est le cas bien souvent du *Pinus penta-phylla*. Certaines espèces ne peuvent se multiplier que par ce procédé qui a l'avantage de favoriser la croissance de la plante, surtout si le porte-greffe est vigoureux. Il permet dans d'autres cas de réduire la croissance de la plante, si l'on veut avoir des plantes de faible développement. La technique de la greffe est délicate, les modes de greffage nombreux et variés, mais réservés aux spécialistes. Le prix d'une plante greffée est plus élevé de ce fait.

- Enfin on peut citer la multiplication "**in vitro**". qui est la forme la plus récente de multiplication végétative et qui se développe ces dernières années pour un certain nombre d'espèces.

C'est une technique de laboratoire, difficile à maîtriser, qui consiste à obtenir en éprouvette des milliers de plantes à partir des cellules du méristème apical* de la plante. Cette technique est utilisée pour les plantes tropicales et pour certaines espèces de nos régions (rosier, par exemple). Son intérêt principal réside dans la mutiplication très rapide de plantes identiques au pied mère et à la régénération de certaines espèces, la cellule apicale étant indemne de toute maladie.

---

* Le méristème apical est l'ensemble des cellules du bourgeon qui assure la croissance de la plante en longueur.

Notre avis

Ne pas se lancer dans une multiplication hasardeuse, longue, difficile et souvent sans résultat. Il vaut mieux bien choisir le plant destiné à devenir un futur bonsaï soit chez un pépiniériste spécialisé, soit chez un horticulteur ou même dans la nature. Cela permet d'avoir une plante déjà formée, d'un certain âge, présentant toute garantie de reprise. Le choix de cette plante est déjà un plaisir en soi, car il donne une image de la forme future du bonsaï que l'on désire. Ce n'est que plus tard, lorsque l'amateur ou le collectionneur de bonsaï sera formé qu'il pourra tenter de se lancer dans la multiplication à proprement parler, sachant pertinemment qu'il lui faudra souvent attendre très longtemps avant d'avoir le bonsaï de ses rêves à partir de ce procédé.

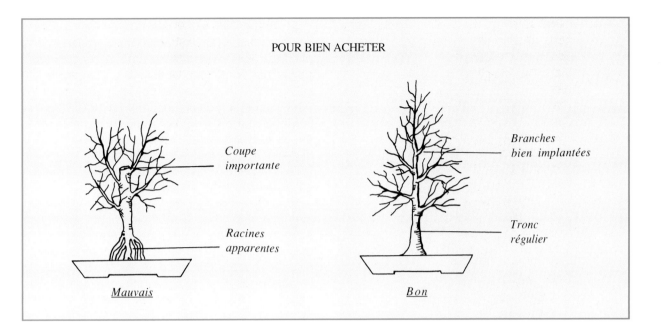

POUR BIEN ACHETER

Coupe importante

Racines apparentes

Mauvais

Branches bien implantées

Tronc régulier

Bon

L'ACHAT D'UN JEUNE PLANT

Le choix de l'espèce

Le choix de l'espèce que l'on veut traiter en bonsaï est capital. Toutes les espèces ou presque peuvent se cultiver en pot, mais il faut garder à l'esprit le but recherché.

> **Bonsaï** = petit arbre dans un **petit pot.**

Il faut donc s'attacher à trouver une espèce qui se prête à la culture en pot sans difficulté, qui offre rapidement les caractères du petit arbre avec de petites feuilles et un vieillissement rapide du bois.

D'autre part, la confusion entre bonsaï d'intérieur et bonsaï d'extérieur est souvent totale. Cette confusion est entretenue d'ailleurs par les marchands de bonsaï, par manque de connaissances botaniques (ce qui est très fréquent) ou par souci de vendre à tout prix (ce qui ne l'est pas moins). Certains livres même ne font pas cette distinction.

❑ **Un bonsaï d'intérieur** est une plante exotique, souvent d'origine tropicale qui demande des conditions de température et de lumière proches des conditions de serre ou d'appartement.

Le bonsaï d'intérieur est en fait une plante verte d'appartement miniaturisée et maintenue dans des conditions de culture réduites.

Bien que les plantes méditerranéennes soient à considérer comme des plantes d'extérieur et à traiter comme telles avec des précautions particulières pour l'hivernage, surtout dans les régions continentales, elles peuvent occasionnellement pour certaines d'entre elles être traitées comme bonsaï d'intérieur (olivier par exemple) à condition de respecter un repos hivernal.

En effet, outre les conditions de température, lumière et arrosage, ce qui fait la différence essentielle entre une plante indigène ou méditerranéenne et une plante tropicale est la nécessité d'une période de repos végétatif pour les premières alors qu'il n'y a pas d'arrêt de végétation pour les plantes tropicales.

Ce repos végétatif (marqué souvent par la chute des feuilles et l'absence de croissance) est une adaptation au climat (période de froid, sécheresse, etc.). Une plante tropicale par contre est soumise toute l'année aux mêmes conditions climatiques ; elle a donc une croissance et une végétation ininterrompues.

Le bonsaï dit d'intérieur connaît un certain succès de nos jours ; il entre dans la décoration de l'appartement au même titre qu'une plante verte ou qu'un bibelot. Le vrai bonsaï japonais par contre est toujours une plante d'extérieur.

Chamaecyparis Laws. Ellwoodii en petit pot.

❏ **Un bonsaï d'extérieur** est une plante indigène qui ne peut vivre qu'en plein air sous son climat d'origine. Cela pose quelques problèmes d'hivernage que nous verrons plus loin, mais il ne supporte **absolument pas** d'être maintenu en appartement.

Pour un Japonais ou un Chinois, il n'y a de vrai bonsaï que celui provenant d'une plante issue du milieu naturel environnant. Les îles du Japon ont un climat maritime, aux saisons été/hiver marquées, se rapprochant des conditions de notre pays. Si la végétation de ce pays nous paraît exotique, c'est surtout à l'éloignement que nous le devons ; mais il ne faut pas se faire d'illusions, le nombre des espèces que l'on trouve dans les collections japonaises est limité et les plantes sont plus intéressantes par leur ancienneté et la façon dont elles sont travaillées que par leur rareté botanique. Cela s'explique très aisément par l'isolement total de ces îles jusqu'au siècle dernier, par la mentalité du Japonais et aussi par la façon dont le Japonais prépare et élève son bonsaï.

En France où, en général, le climat ne diffère pas grandement du climat japonais, le choix de la plante se fera toujours sur un arrière-fond d'**hivernage**, car si le climat maritime du Japon facilite l'hivernage, la tendance continentale de notre pays risque de poser problème (voir chapitre "hivernage" page 77). Il faut donc dans un premier temps se limiter à des espèces rustiques, faciles à hiverner, et adaptées à la région où l'on se trouve. Un olivier par exemple sera plus difficile à hiverner en Lorraine que sur la Côte d'Azur.

Au critère de choix des espèces qui vieillissent bien et dont le bois prend rapidement l'apparence d'un tronc doit s'ajouter celui des espèces à petites feuilles qui donnent à la plante un aspect plus réel d'arbre miniature. Entre l'érable plane et l'érable de Bürger, la taille naturelle des feuilles passe de 10 à 1. Il ne faut pas hésiter à choisir l'érable de Bürger dont le développement naturel est plus faible. La réduction des gandes feuilles sur une espèce est longue et difficile et elles ne sont jamais en rapport avec la taille d'un arbre miniature. D'autre part, un arbre à grandes feuilles a souvent un système radiculaire important ; il évapore beaucoup d'eau et craint le dessèchement (marronnier, tilleul).

Ulmus elegantissima "J. Hillier" - Godet.

Erable du Japon préformé, en coupe de culture.

La culture en conteneur, c'est-à-dire en pot plastique de 2 à 10 litres ou plus s'est beaucoup développée ces dernières années. La plupart des plantes que l'on trouve en jardinerie sont des plantes jeunes, souvent forcées à l'engrais avec des rameaux très longs et qui ne présentent, à part certains conifères, que peu d'intérêt pour une fabrication de bonsaï. Par contre, on trouve très fréquemment dans les pépinières des plantes ayant végété plusieurs années en pot, ayant souffert, mais qui présentent des caractères parfaits de futurs bonsaïs : bois noueux, courts, apparents. En cherchant un peu, on trouvera peut-être la pièce rare, laissée pour compte par le pépiniériste (c'est toujours avec un pincement au cœur qu'un pépiniériste jette une plante), idéale pour démarrer un beau bonsaï de 5 à 10 ans d'âge. Il ne faut pas se presser, mais il faut sauter sur une bonne occasion quand elle se présente. La mise en coupe dont nous parlerons plus loin (page 45) se faisant en hiver ou au début du printemps, attendre cette période, même si l'achat a été fait dans le courant de l'année. Dans ce cas, il faut soigner la plante dans son conteneur sans la dépoter, comme un bonsaï, tout en commençant sa taille de formation ce qui gagne du temps.

C'est à notre avis une très bonne technique pour se faire une collection de plantes déjà bien formées, d'un certain âge (5 à 10 ans) et ayant du caractère. Les occasions sont cependant rares et il ne faut pas hésiter à flaner dans les pépinières, parfois en jardineries à la recherche de la pièce idéale qui sera souvent assez bon marché. Pour les plantes horticoles (type Fuchsia) la quête est plus facile.

❑ Achat d'un jeune plant

L'autre solution consiste à acheter un jeune plant. Les jeunes plants de pépinière en godet sont de plus en plus courants dans tous les points de vente et pour de nombreuses espèces, à tel point d'ailleurs que certains pépiniéristes commercialisent du jeune plant sous le nom de pré-bonsaï. C'est un jeune plant qui a subi une taille et qui de ce fait est déjà un peu ramifié. Ce plant se trouve en godet de culture carré ou rond de diamètre 9 ou 10 cm.

Le choisir sain, pas trop haut, touffu. Le tronc ne doit pas être trop gros, ni trop long car on est alors obligé de le sectionner pour le rendre touffu et plus petit et cette grosse plaie risque de ne jamais

---

Notre avis

- Il ne faut pas confondre le **bonsaï d'extérieur** (le vrai) originaire de la flore indigène ou japonaise et qui ne peut vivre qu'à l'extérieur avec le **bonsaï d'intérieur** (ou pseudo bonsaï) qui est une plante verte d'origine tropicale et qui ne peut vivre qu'en appartement.

- Lorsqu'on débute, il faut choisir sa plante en fonction du climat, de sa rusticité et des possibilités d'hivernage.

- Préférer les plantes à petites feuilles qui se prêtent plus aisément à la culture en pot et à la miniaturisation.

- Prendre conseil auprès d'un vrai professionnel, pépiniériste ou horticulteur de sa région pour le choix des espèces.

Le choix du plant

C'est le premier acte capital de la confection d'un bonsaï. Deux possibilités s'offrent alors.

❑ Achat d'un plant adulte

On peut acheter une plante adulte de 5 à 10 ans en conteneur qui sera le point de départ d'un bonsaï déjà bien charpenté.

disparaître. On retombe dans le cas précité de l'achat d'un bonsaï fini. On peut également le dépoter pour voir son système de racines. Un gros chignon est preuve d'une bonne croissance, mais sera difficile à défaire. On trouve de plus en plus des plantes déjà travaillées, destinées à devenir des bonsaïs, mais qui ne sont encore que des plantes de pépinières un peu évoluées. Ils ont dépassé le stade du pré-bonsaï car ils ont été taillés plusieurs fois dans le courant de l'année et surtout ont été rempotés dans des coupes basses en plastique, ce qui les prédispose à la mise en coupe.

C'est à notre avis une excellente solution, car la voie du bonsaï est déjà amorcée. Mises en coupe à bonsaï, ce sont des plantes qui soutiennent la comparaison avec les bonsaïs du commerce et à bien moindre prix.

> **Notre avis**
> *Pour se lancer dans le bonsaï, comme néophyte, pour agrandir la collection du connaisseur, c'est en partant du plant en conteneur ou des jeunes plants de pépinière ou préformés que l'on peut retirer le plus de plaisir et le plus de joie. C'est à la portée de toutes les bourses et le plaisir artistique de la création n'en sera que plus grand.*

Pommier ("Malus Everest") préformé.

LE PRELEVEMENT DANS LA NATURE

A l'origine, la plupart des bonsaïs japonais étaient prélevés dans la nature. En montagne on trouve de splendides exemplaires, sur rocher, battus par le vent et exposés à des conditions de sol et de climat très dures. En plaine il existe de véritables pépinières de jeunes plants, provenant de semis naturels en sous-bois et ayant des caractères parfaits pour le prélèvement et la constitution de forêt.

Le prélèvement naturel est à priori le plus intéressant, car il permet d'avoir très rapidement de splendides exemplaires, âgés, adaptés au climat, ayant souffert naturellement de conditions difficiles.

Il présente cependant un certain nombre de difficultés que l'amateur devra bien avoir présentes à l'esprit.

- Le prélèvement naturel est interdit, sauf autorisation du Service des Eaux et Forêts pour les forêts domaniales ou gérées par ce service, ou du propriétaire pour les forêts privées. Il faut savoir que dans le cadre de la Protection de la Nature, l'interdiction du prélèvement naturel est pratiquement générale.

- En supposant que cet obstacle soit levé, et que vous ayez repéré dans la nature un petit arbre pour lequel vous avez eu le coup de foudre se posent deux questions : quand et comment prélever ?

❑ Quand prélever ?
Le petit arbre que vous avez repéré est probablement en place depuis plusieurs années, souvent plusieurs dizaines d'années. Son système radiculaire est très étendu, ses racines s'enfoncent très profondément dans les fentes du rocher, ou dans le sol caillouteux.

Si vous constatez qu'à moins de faire sauter un pan de rocher, il vous est impossible de récupérer un minimum de racines, ayez la sagesse d'admirer votre arbre, de le photographier, mais de le laisser en place.

Si par contre vous pouvez espérer le récupérer sans trop de mal, ni pour lui-même, ni pour son environnement, alors attendez la fin de l'hiver ou le début du printemps pour votre prélèvement.

Pourquoi ?

Sous notre climat, la végétation subit un repos hivernal. Certains arbres perdent leurs feuilles, d'autres non, mais dans les deux cas la croissance s'arrête et la vie de la plante se réduit considérablement.

Prélevée trop tôt en automne, la plante n'aurait pas eu le temps de s'installer dans cette période de repos ; c'est le cas du bouleau, par exemple, qui arraché au moment de la chute des feuilles n'a aucune chance de reprise. Les conifères supporteraient mieux d'être prélevés tôt, mais il faut être prudent ensuite pour l'hivernage, car le conifère ne fait pas de racine en hiver, bien qu'il continue à évaporer du fait de son feuillage persistant.

La meilleure période reste donc la fin de l'hiver et le début du printemps (mars à mai suivant les situations, plaine ou montagne), **avant** le départ de la végétation, lorsque toute l'énergie de la plante est prête pour la faire démarrer.

❏ Comment prélever ?

C'est là que les difficultés commencent. Il faut bien avoir à l'esprit qu'il est indispensable de prélever la plante avec le maximum de racines partant du collet. Une ou deux grosses racines même très longues ne suffisent pas à assurer la reprise d'autant qu'il faut probablement en réduire la longueur. Bien souvent le système d'insertion des racines au niveau du collet est très fragile et en tirant sur la plante, on risque de casser plusieurs grosses racines et de lui causer des plaies importantes.

Il faut donc **prendre son temps** et étudier l'implantation des racines dans le sol. Des outils sont indispensables, pelle, pioche, sécateur, grattoir pour dégager les racines, ciseau à pierre pour écarter les rochers, marteau. Procéder lentement en dégageant délicatement les racines sans tirer brusquement sur la plante et en essayant de récupérer le maximum de chevelu qui assurera la reprise. Une fois le système radiculaire bien dégagé, couper proprement les racines au sécateur sur une longueur au moins égale à la couronne de l'arbre, puis mettre la plante dans un sac plastique avec de la mousse humide pour éviter le dessèchement. Ne pas exposer le sac au soleil.

❏ Mise en culture

La grande erreur serait de mettre cet arbre fraîchement prélevé en pot ou en coupe bonsaï ; cela est possible pour de très jeunes plants. Pour une plante adulte et déjà forte, le traumatisme de l'arrachage est important et il est absolument nécessaire de reconstituer un système radiculaire en proportion avec la couronne.

C'est donc un véritable travail de pépiniériste qui commence. Autant dire que pour un amateur qui ne possède pas de jardin, ce procédé est absolument exclu sauf possession de grands bacs sur une terrasse fraîche.

Il faut en effet pendant 2, 3 ou 4 ans refaire un système de racines à la plante en l'installant dans un coin frais du jardin, mi-ombragé, dans un terreau riche en tourbe (qui favorise le développement des racines), mais sableux et perméable, humide en permanence.

La partie aérienne doit être taillée et formée. Cela évite qu'elle évapore de trop et gagne du temps pour sa formation ultérieure ; mais il est absolument nécessaire de lui laisser quelques petites branches qui sont autant de "tire-sève" nécessaires à un bon rétablissement de la circulation de la sève et au développent des racines.

La première année, la plante végète sans se développer. Sa survie est déjà une réussite.

Au bout d'un an, en fin d'hiver, il faut la sortir délicatement de terre, vérifier la formation du chevelu radiculaire et supprimer une partie des grosses racines qui sont un obstacle à une mise en coupe ultérieure.

Replanter le futur bonsaï dans un coin de jardin et attendre encore 1 à 2 ans que le système radiculaire soit bien rétabli.

Ce n'est qu'à ce moment que l'on peut procéder à une première mise en pot. Bien entendu, le pot doit être assez spacieux pour permettre à la plante de s'habituer progressivement à ses nouvelles conditions de vie et la coupe bonsaï ne peut être envisagée qu'après une acclimatation en pot.

> **Notre avis**
> Suivant l'âge de la plante, le prélèvement naturel est une opération qui est délicate.
> Pour des jeunes plantes de 1 à 4 ans, cela ne pose guère de problèmes et la mise en coupe bonsaï peut suivre après un an d'acclimatation en coupe.
> Pour des plantes âgées, les plus intéressantes, il faut prendre de grandes précautions pour le prélèvement et ensuite entamer tout un travail de pépiniériste qui dure plusieurs années avant la mise en coupe définitive.

Travail d'un pin (Pinus mugo mughus - 3 ans). Mise en forme dite " battue par les vents ".

LE TRAVAIL

DU BONSAÏ

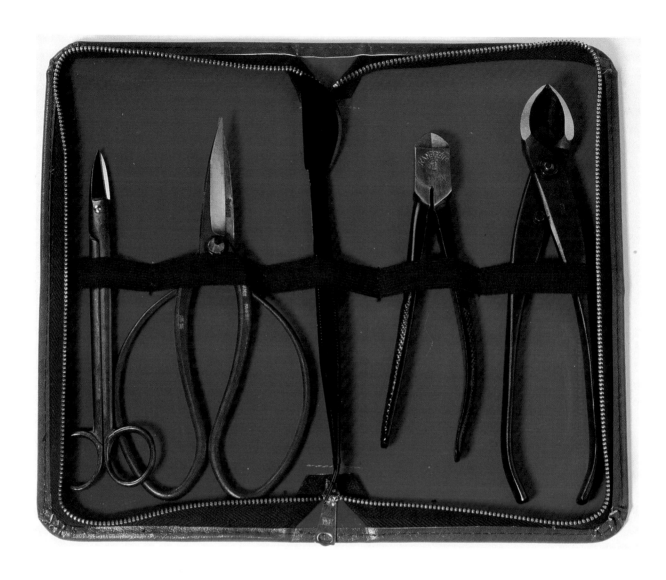

Trousse à outils de base telle qu'on peut la trouver dans le commerce, contenant :
- 1 paire de ciseaux à bourgeons
- 1 paire de ciseaux normaux
- 1 pince munie d'un grattoir
- 1 pince pour couper le fil de cuivre
- 1 pince concave à branches

LES CONDITIONS DE TRAVAIL

Où travailler ?

Vous venez d'acquérir un jeune plant et vous brûlez d'envie de le voir trôner dans votre intérieur ou sur votre terrasse dans sa forme définitive, mais comment franchir cette étape.

Avez-vous pensé qu'il va falloir un plan de travail pour effectuer les rempotages, les tailles ou autres traitements ?

Si vous disposez d'un jardin, installez votre table dans un coin clair, mais ombragé (pour éviter un desséchement trop rapide), installez vos outils à proximité, comme un chirurgien qui va opérer, prenez votre temps.

Si vous ne disposez pas d'un jardin, la table de cuisine recouverte d'un plastique fera très bien l'affaire.

Il arrive que certains horticulteurs mettent leur table de rempotage à disposition des amateurs de bonsaïs qui veulent travailler dans des conditions de professionnels. Cette pratique risque de se développer dans les prochaines années. Enfin les clubs sont souvent bien organisés pour ce genre de travail. Profitez-en !

L'outillage

Point n'est besoin d'acquérir d'emblée un matériel complet et forcément onéreux. L'acquisition du matériel se fera au fur et à mesure que la technique de l'amateur se perfectionne. Il faut vraiment ressentir le besoin d'un outil pour l'acheter et non pas l'acheter parce qu'il est possible qu'on en ait besoin un jour. L'outillage de bonne qualité est cher et il ne faut pas lésiner sur la qualité du matériel car le travail s'en ressentirait.

- Les **ciseaux normaux**. C'est l'outil de base pour le travail, que ce soit la taille des petites branches ou le pincement de rameaux en vert. On le tient bien en mains et c'est le premier outil que saisit un amateur de bonsaï.

- Les **ciseaux à bourgeons** sont utiles pour un travail plus fin, notamment pour travailler sur les bourgeons de conifères. Les dames en général préfèrent ces ciseaux plus faciles à manier mais avec lesquels on ne peut couper que de petites branches non lignifiées.

- Un **petit sécateur**, du type sécateur à vendanges, léger, efficace et qui peut servir à de multiples usages. Nous avons apprécié le sécateur Wolf qui paraît être très adapté au travail du bonsaï.

- Très utile aussi, mais réservée au bonsaï d'un certain âge, la **pince concave à branches** qui permet de sectionner une branche à ras du tronc, ce qui évite le chicot et permet une bonne cicatrisation de la plaie. Cette pince n'est pas indispensable pour débuter sur de jeunes sujets, mais elle devient rapidement nécessaire.

On peut ajouter différents outils courants dans la maison et qui font parfaitement l'usage pour le travail du bonsaï, ainsi

- Une **fourchette**, dont les dents seront repliées, servira de peigne à racines.

- Une **pince d'électricien** pour couper le fil à ligaturer.

- Une **brosse à dents** et un **blaireau à raser** pour nettoyer la mousse sur les troncs ou les feuilles taillées sur la mousse.

- Une **pince** pour arracher les mauvaises herbes.

- Un **gros piton** à rideau très pratique pour tasser la terre après un rempotage.

- Un **greffoir** ou un **grattoir de bureau** pour dénuder les branches.

- Une **petite pelle** (ou transplantoir) qui peut servir pour manipuler la terre ou arracher une plante dans la nature.

- Pour l'arrosage, le **petit arrosoir de ménage** servira surtout dehors. A l'intérieur, nous recommandons vivement la **pissette de laboratoire** qui permet un arrosage précis, léger, efficace.

- Indispensable, le **petit pulvérisateur** à main qui servira aussi bien à humecter la plante et à rafraîchir l'atmosphère qu'à faire des traitements chimiques quand c'est nécessaire.

- Enfin munissez-vous de **fil à ligaturer** (cuivre recuit ou aluminium anodisé) de différents diamètres. On peut utiliser du fil électrique en cuivre à condition de le chauffer à 300/400° sur la flamme du gaz ou dans un poêle à bois ou à charbon.

- Dernier matériel nécessaire, de la **gaze à moustiquaire** en plastique ou du **tulle** en ruban pour obturer le trou de drainage du pot sans le boucher complètement.

La liste peut paraître longue, mais il est certain que pour bien travailler, il faut de bons outils prati-

ques. Mais mises à part les deux paires de ciseaux et la pince concave à branche, tous les outils sont des outils courants dans un ménage et peuvent servir d'ailleurs à d'autres usages.

Le prix d'une bonne paire de ciseaux est d'environ 200 F. L'ensemble de l'outillage représente quand même un investissement de 750 F. Chez un marchand spécialisé, il y en aurait pour plus de 1 500 à 2 000 F.

Ajoutons pour terminer qu'il peut être très pratique de travailler son bonsaï sur un tour de manière à ce que le bonsaï pivote sur un axe et se présente ainsi sous toutes ses faces à l'opérateur sans que celui-ci se déplace. Il en existe de très perfectionnés, signalons qu'une bonne platine de tourne-disque hors d'usage fait parfaitement l'affaire.

Un bon conseil : regrouper tous les outils de travail dans une boîte ou une trousse. Cela évite de courir ou d'être en panne en plein travail.

Photo du haut
Les outils de la taille :
1 - Paire de ciseaux normaux
2 - Sécateur
3 - Paire de ciseaux à bourgeons
4 - Pince à branche
5 - Greffoir
6 - Pince d'électricien pour couper le fil
7-8 - Fils à ligaturer de différents diamètres
9 - Mastic à cicatriser.

Photo du bas
Le matériel d'entretien :
1 - Blaireau pour nettoyer la surface du pot
2 - Pince à désherber
3 - Transplantoir
4 - Grille pour obturer les trous des coupes
5 - Tulle en nylon pour le même usage
6 - Piton de rideau pour tasser la terre
7 - Fourchette tordue ou griffe pour peigner les racines
8 - Pissette de laboratoire
9 - Pulvérisateur.

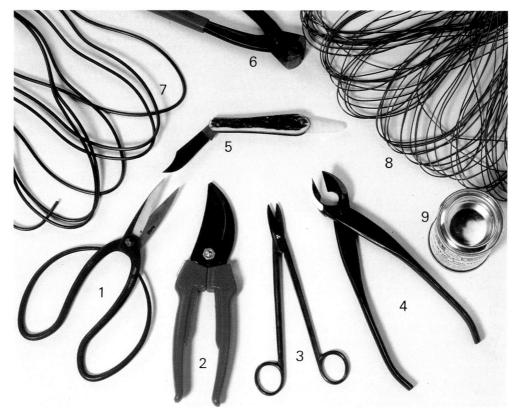

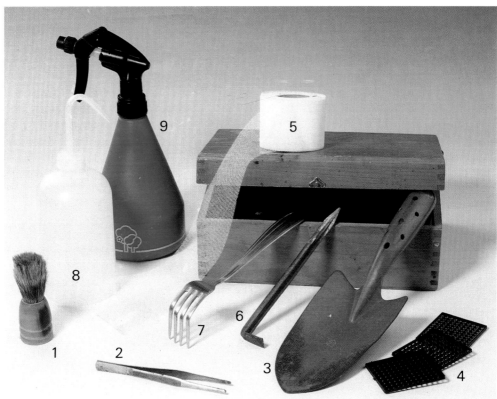

La poterie

Là aussi nous abordons un chapitre délicat qui met souvent en opposition l'amateur et le spécialiste du bonsaï.

Il est vrai que la coupe en céramique est d'une grande importance pour la mise en valeur du petit arbre ou de la plante que l'on veut travailler. Une erreur de choix serait tout à fait préjudiciable à l'ensemble, car il ne faut pas oublier qu'il faut chercher avant tout l'harmonie entre la coupe et l'arbre.

Un bon conseil : ne pas se précipiter chez le premier commerçant venu pour y acheter fort chère une coupe qui finira peut-être par se révéler totalement inadaptée à la plante que vous voulez rempoter.

Au débutant, nous conseillons d'abord de travailler la plante dans une coupe toute simple en plastique ou en terre cuite et lorsque celle-ci sera bien enracinée et aura du caractère, lui choisir la coupe de votre goût qui lui conviendra le mieux.

- La **coupe japonaise** type présente toujours 4 pieds de manière à ce que l'air puisse circuler sous la coupe, et deux gros trous de drainage de taille nettement supérieure à ce que nous trouvons sur les pots de fleurs européens (diamètre 2 cm). Cela est d'ailleurs parfois surprenant d'avoir une toute petite coupe dont le fond est occupé pour moitié par ces deux trous de drainage.

Coupes japonaises.

La poterie japonaise résiste au gel et est presque toujours évasée, même légèrement, pour permettre à la motte de sortir facilement. On ne trouve plus de belle poterie japonaise. Ce que l'on trouve est un produit industriel, assez bien fini, mais qui n'a plus beaucoup d'âme.

- Il en est de même pour la **poterie chinoise** finement travaillée autrefois et beaucoup plus décorative, le Chinois jouissant d'une tradition très ancienne dans ce domaine. Aujourd'hui on importe de Chine et surtout de Taiwan une poterie très quelconque et souvent très mal finie. Ces poteries n'ont d'ailleurs qu'un seul trou de drainage, contrairement aux poteries japonaises.

Coupes "Made in Taiwan".

- La **poterie originaire de Corée**, faite dans une terre rouge et remarquablement émaillée en bleu est certainement ce que l'on trouve de plus beau, tant dans les formes un peu particulières que par la qualité. Malheureusement, elles sont assez rares et difficiles à trouver.

Coupes coréennes.

- La **poterie européenne**. Pourquoi la négliger ? Il y a des imitations de qualité qui valent celles de Taiwan et de loin, il y a des coupes originales qui prouvent que nous savons aussi bien faire que les Japonais. Malheureusement, les belles coupes sont souvent d'un prix très élevé.

Coupes de culture en terre cuite ou en plastique.

Coupes et poteries d'Europe.

Nous conseillons, pour débuter sans se ruiner, ces petites coupes en terre cuite bien de chez nous, qui ne manquent pas de caractère, surtout lorsqu'elles sont émaillées mais qui sont un peu sensibles au gel étant en simple terre cuite. Leur prix plus qu'abordable permet tous les essais et toutes les fantaisies.

Poteries en céramique de très belle qualité, mais sans trou malheureusement.

- **Choix de la coupe.** Il faut que la coupe soit proportionnée à la plante. Mettre une petite plante dans une grande coupe est une erreur fondamentale.

Pour une cascade, on prend une coupe en hauteur, pour une forêt une coupe plate. Entre les deux, il n'y a pas de règle précise sinon celle du bon goût.

Eviter quand même de prendre une coupe trop plate pour une simple question d'arrosage. Cela donne beaucoup d'élégance, mais la surface d'évaporation est telle que la plante risque de périr de soif rapidement.

De toute façon, si l'on veut débuter avec un jeune plant, qu'il soit en godet ou en racines nues, il est impossible de le limiter brutalement à 1 ou 2 cm de terre. Il faut une adaptation progressive en passant d'une coupe profonde à une coupe plus basse.

La **couleur** de la coupe est aussi importante. On en trouve en terre brute un peu passe partout. Mais il en est de remarquables en céramique, toujours monochrome, bleue, verte, sable. Il faut savoir trouver la meilleure harmonie possible, question de goût !

Il faut noter à ce propos qu'au Japon, les conifères sont toujours dans des coupes de terre brune, les arbres à feuilles caduques dans des coupes en céramique bleue, verte ou sable. Il n'y a pas d'exception.

Quant à la **forme** des coupes, elle doit être très pure (carrée, rectangulaire, ronde ou ovale, hexagonale ou octogonale). La profondeur varie de quelques centimètres à pratiquement rien pour les plateaux.

Certaines forêts sont remarquablement présentées sur de simples plaques de schistes ou de calcaire.

Enfin certaines formes rupestres, c'est-à-dire montées sur rocher peuvent se mirer sur un plateau rempli d'eau.

Notre avis

Ne pas acheter dès le départ de poterie chère. Il vaut mieux s'entraîner avec des coupes bon marché et n'acheter la belle pièce de poterie que lorsque l'on a une belle plante à y mettre. Attention au gel, si la poterie japonaise résiste le mieux au froid, aucune coupe ne tient à de très basses températures (- 15° à - 20°), mais il faut dire qu'à cette température, bon nombre de plantes sont déjà mortes.

Les terreaux à bonsaï

Le moment est venu de procéder au premier rempotage. Quelle terre prendre ?

Nous l'avons vu page 22, un bon terreau équilibré pour rempotage doit comporter
- du sable (moyen ou même un peu grossier),
- de l'argile et du limon,
- de l'humus.

Le mélange idéal pour l'ensemble des plantes n'existe pas, mais grossièrement un mélange de 1/3 sable, 1/3 argile, 1/3 humus est satisfaisant. La notion d'acidité du terreau est importante. La neutralité est exprimée par un pH = 7. La plupart des plantes préfèrent un sol légèrement acide (pH < 7), seules certaines espèces réclament du calcaire (pH > 7) pour leur développement.

Le rôle des différents éléments a déjà été évoqué et nous n'y reviendrons pas. Il n'est d'ailleurs pas question de s'amuser avant de rempoter votre bonsaï, à faire de savants mélanges de terre. Non !

Ayez sous la main :

- Un sachet de terreau pour bonsaï (on en trouve dans le commerce) en faisant bien attention à sa composition et à son pH obligatoirement inscrits sur l'emballage. C'est en principe un terreau passe-partout contenant argile pour la rétention de l'eau, sable et gravillons pour le drainage, matière organique.

- Un sachet de "terreau universel" de qualité pour plantes vertes. Il est riche en matière organique, doit contenir un peu de sable et d'argile. Son pH est de 6 environ.

- Un sachet de terre "dite de bruyère". C'est un terreau très pauvre, très filtrant, acide, pH = 5 à 6, mais que réclament certaines espèces et qui peut servir à entrer dans un mélange avec du terreau bonsaï par exemple, pour alléger celui-ci.

- Un peu de tourbe. La tourbe est un support totalement stérile et très acide, pH : 5. Ne pas l'utiliser pure. Elle est surtout très utile pour l'hivernage des plantes.

- Du sable lavé de rivière, un peu grossier et qui sert soit à alléger un mélange trop compact, soit surtout pour drainer l'excès d'eau dans le fond des coupes.

- De la corne en poudre. On trouve de la corne torréfiée en poudre ou en "semoule" qui mélangée à la terre de rempotage constitue le meilleur engrais connu. Naturelle, de décomposition lente, elle apporte à la plante les éléments fertilisants dont elle a besoin.

A partir de ces trois types de terreau bonsaï, universel et de bruyère vous pourrez faire les mélanges appropriés pour chaque espèce en y ajoutant un peu de **tourbe** pour certaines espèces comme l'azalée. La tourbe n'est pas un terreau. C'est un support stérile, acide qui peut se gorger d'eau comme une éponge, mais peut totalement se dessécher. Il faut l'utiliser avec beaucoup de prudence et dans une proportion ne dépassant pas 10 % du mélange en volume.

PREMIERE MISE EN COUPE

Quand opérer ?

La mise en coupe, comme la plupart des rempotages s'effectue au printemps de mars à avril, avant le démarrage de la végétation. Certaines exceptions sont possibles si l'on dispose d'une serre froide ou pour certaines espèces comme le cognassier du Japon pour lequel il est préférable de le faire en automne. En prenant certaines précautions, une mise en coupe en été est possible.

La première mise en coupe

Votre table d'opération est prête. Vous avez sous la main vos outils, votre terreau, votre coupe et votre plante.

- Vous voulez mettre en coupe un jeune plant en godet que vous avez acheté.

- La jeune plante présente une motte qui est en général constituée par des racines très serrées situées au fond du godet. Après avoir enlevé le godet, essayer de défaire le paquet de racines enchevêtrées. En lavant la motte sur le jet du robinet, on peut arriver à défaire une partie des racines. Ne pas hésiter à en couper une partie, la plante refera son système radiculaire et sera beau-

coup plus à l'aise dans sa coupe avec des racines étalées, même réduites (voir photo page 58).

La mise en coupe s'effectue de la façon suivante. S'il s'agit d'un premier rempotage, ne pas prendre une coupe trop basse. On peut passer de 8 cm (hauteur du godet) à 4-5 cm (profondeur intérieure de la coupe), la réduction de cette profondeur interviendra ultérieurement, lors des rempotages successifs.

- Mettre dans le fond de la coupe sur le trou un morceau de tulle en nylon. Etaler une fine couche de sable grossier destiné à assurer le drainage.

- Mettre un peu de terre sur le sable.

- Placer la plante, racines étalées, mais ne remontant pas le long des parois de la coupe.

- Recouvrir les racines de terreau en tassant progressivement avec les pouces sur l'ensemble de la coupe et en insistant sur les bords.

- Puis tasser fortement, notamment sur les bords en utilisant le piton de rideau.

- Egaliser la terre en surface, légèrement en dessous du bord de la coupe de façon à pouvoir arroser sans que cela déborde.

Tout est prêt pour rempoter.

Dépoter le jeune plant.

Enlever la terre de surface.

Obturer les trous avec de la gaze.

Mettre une couche de sable.

Puis une couche de terre.

Répartir la terre.

Placer la plante dans la coupe.

Tasser fortement avec le piton.

Puis avec les pouces.

Tapoter la coupe pour égaliser la terre.

Arroser légèrement.

Bien tremper le tout.

Equilibrer la plante en taillant.

Note

- *Dans notre exemple, il s'agit d'un Zelkowa préformé en coupe de culture.*
Son rempotage en pleine végétation ne pose aucun problème à condition d'éviter de toucher aux racines situées au fond de la coupe.

- *On procède de la même façon pour le rempotage d'hiver, en réduisant cependant les racines à 1/2 à 1/3 de leur longueur.*

- Tremper le tout dans une cuvette dont le niveau de l'eau viendra affleurer le bord de la coupe pour que la terre soit bien saturée d'eau.

- Laisser ensuite égoutter.

Attention : jeter à la poubelle les déchets de racines et le terreau usagé.

Comment placer une plante dans son pot ?

Voilà une question importante qui mérite un peu d'attention.

❏ Arbre isolé

S'il s'agit d'une plante en isolée tout dépend du style que l'on choisit pour cette plante.

L'arbre n'étant pas par nature absolument symétrique, il faut chercher l'équilibre plus qu'un centrage parfait de la plante.

Quelques règles concernant les rapports à respecter entre les dimensions de l'arbre et de la coupe :

- Une coupe ne doit pas dépasser en longueur les 2/3 de la hauteur de l'arbre, sauf si la largeur de l'arbre dépasse de beaucoup les limites de la coupe. Dans ce cas, la coupe pourra avoir une longueur avoisinant la hauteur de l'arbre.

- La profondeur de la coupe ne doit pas en théorie dépasser l'épaisseur du tronc. Cela est très théorique cependant et cela est tout à fait impossible avec des jeunes plants. Cet idéal est rarement atteint même avec des plants adultes.

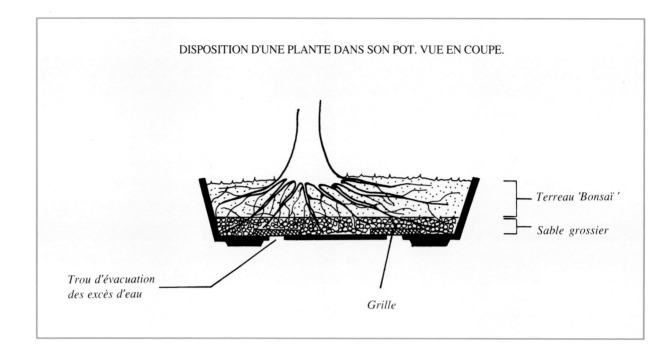

DISPOSITION D'UNE PLANTE DANS SON POT. VUE EN COUPE.

Terreau 'Bonsaï '

Sable grossier

Trou d'évacuation des excès d'eau

Grille

❑ Plantation de forêts

La plantation de forêts est l'un des plaisirs que l'amateur de bonsaïs s'octroie après avoir acquis un peu d'expérience.

Mais avant de réaliser une splendide forêt sur plaque de schiste et 2 cm de terre, il vaut mieux commencer par s'entraîner dans une terrine assez profonde, sur des sujets sans grande valeur, car le risque de perdre une plante est assez grand et la reprise d'un groupe de plantes n'est pas toujours évidente.

Mais réaliser une forêt n'est pas plus difficile que de faire un beau bonsaï. Il faut cependant suivre quelques règles élémentaires.

1) Sur le **plan cultural**, il faut choisir des espèces qui se prêtent aisément à une vie sociale et à un volume de terre limité et partagé avec ses congénères. Nous recommandons particulièrement le charme, l'érable du Japon et l'érable de Bürger, le liquidambar et pour les conifères le *Picea albertiana* et le *Chamaecyparis Elwoodii*.

- Il est tout à fait déconseillé de faire des forêts mixtes aux essences mélangées. Tôt ou tard l'une ou l'autre espèce prendra le dessus et les besoins culturaux ne sont pas les mêmes.

Un boqueteau d'une espèce, agrémenté d'un sous-bois de fougères est tout aussi joli et bien plus facile à soigner.

Les forêts sont particulièrement esthétiques sur une épaisseur très faible de terre dans une coupe très basse ou même sur un plateau. Il serait illusoire de s'imaginer pouvoir planter directement une forêt dans de telles conditions. Les plantes sont en effet privées d'une grande partie de leurs racines et leur reprise est tout à fait aléatoire. La stabilité des plantes est par ailleurs très faible. Il est préférable dans un premier temps de planter la forêt dans une coupe de profondeur normale (4 à 5 cm), en terre cuite toute simple et de former la forêt en lui permettant de se constituer un bon système radiculaire. Par la suite, on pourra par rempotages successifs diminuer le volume de terre pour installer la forêt déjà formée sur un plateau de schiste ou dans une coupe basse.

Pour constituer une forêt, il est nécessaire de mettre à nu les racines des plantes, de couper le ou les pivots et de ne garder que les racines horizontales qu'il faut d'ailleurs réduire pour pouvoir placer les plantes à proximité les unes des autres. Pour les plantes en godet (conifère en particulier) il faut défaire complètement la motte du godet et peigner les racines qui seront fortement raccourcies.

La mise en pot des plantes s'effectue comme pour des arbres solitaires en faisant bien attention de ne pas faire remonter les racines le long des parois de la coupe.

2) Sur le **plan esthétique**. Là encore c'est l'observation de la nature qui doit donner le modèle à réaliser. Mais un certain nombre de règles de base doivent être respectées.

- Une forêt doit toujours comporter un nombre impair d'arbres, 3, 5, 7, 9 ou plus. Les chiffres pairs (2 exceptés) sont des chiffres honnis par les Japonais (4 et 6 surtout).

- Il faut absolument éviter les alignements de 3 arbres ou plus.

C'est dire qu'un tronc peut éventuellement en cacher un autre, mais pas plus.

- Dans une coupe carrée ou rectangulaire, ne pas planter aux quatre coins. C'est pourquoi les coupes ovales sont préférées pour les forêts.

Regrouper les arbres de façon naturelle et dissymétrique, mais équilibrée.

- Pour une forêt importante (7, 9, 13 plantes ou plus), il est possible de faire des boqueteaux en regroupant les plantes, par exemple un groupe de quatre plantes fortes, un groupe de trois plantes plus faibles, chaque groupe possédant un arbre dominant.

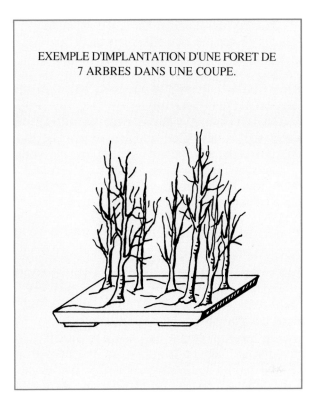

EXEMPLE D'IMPLANTATION D'UNE FORET DE 7 ARBRES DANS UNE COUPE.

Petite forêt de Picéa albertiana (3 ans) réalisée au printemps précédent. Hauteur : 15 cm.

- Dans une forêt, respecter une dominante centrale qui ne doit pas être forcément dans l'axe de la coupe, mais qui se situe au centre de gravité du groupe. C'est pourquoi il ne faut pas choisir des plantes de même force et de même hauteur pour constituer la forêt.

- Conserver les plantes les plus faibles pour les placer à la périphérie de la forêt. Ces plantes peuvent être difformes, comme le sont les arbres de lisières attirés par la lumière et battus par le vent.

On peut également créer un effet de perspective en jouant sur les hauteurs et les plans.

Quand réaliser une forêt ?

Le printemps (mars) est la meilleure saison, d'autant que le système radiculaire doit être très fortement réduit pour pouvoir placer les plantes les unes à côté des autres. Il faut donc pratiquer l'opération juste avant le démarrage de la végétation.

Si la mise en coupe ne pose pas de difficulté majeure, en respectant les règles énoncées plus haut, il faudra toujours commencer par placer l'arbre dominant en le fixant avec une terre très humide, puis placer les autres arbres progressivement en tenant compte de la forme et de la place de chacun, et en essayant d'imaginer le résultat.

Si celui-ci ne vous convient pas lorsque tout est fini, n'hésitez pas à recommencer. Une forêt se fait une fois pour toutes et lorsque les racines des arbres seront bien enchevêtrées, vous ne pourrez plus y toucher. Par contre un défaut de ramure peut toujours se rectifier par la taille ou le ligaturage.

Prendre grand soin de votre forêt après sa mise en coupe. Les arbres ont peu de racines, et sont souvent peu stables. Mettez-la à l'ombre et à l'abri du vent.

Le sous-bois est le complément indispensable d'une forêt. Tachez de repiquer de la mousse et de petites fougères, un petit rocher donnera du relief, un petit motif japonais (lanterne ou autre) de l'agrément.

Il peut arriver qu'un arbre vienne à périr ou ne reprenne pas. Ne vous affolez pas. Cela arrive aussi dans la nature. Laissez-le. Non seulement, il risque de faire un rejet que vous pourrez former (cela arrive fréquemment), mais vous pourrez peut-être essayer de le remplacer au prochain rempotage. Et pour conserver un nombre impair d'arbres, vous pourrez toujours supprimer l'arbre qui présente le moins d'intérêt dans votre forêt.

LE RADEAU
(ou Ikada)

Cette forme rappelle un peu la forêt, bien qu'au départ, il ne s'agisse que d'une seule plante. Elle est rarement pratiquée. C'est ce qui en fait sa curiosité.

On peut la réaliser avec toutes sortes d'essences, mais ce sont les conifères qui conviennent le mieux.

Prendre un sujet d'un certain âge. L'étêter à la longueur de la coupe, racines comprises.

Supprimer les branches sur la face la moins intéressante en conservant sur l'autre face les branches les mieux formées, susceptibles chacune de donner un petit arbre.

Sur cette même face, réduire la motte de racines.

Coucher la plante sur la terre de la coupe et rempoter normalement (Fig. 1) en fixant la tige avec du fil à ligaturer.

Ligaturer chaque branche restante de manière à ce que chacune forme un petit arbre (en évitant l'alignement bien sûr).

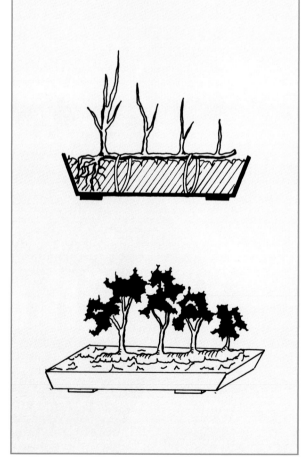

Cotoneaster sur rocher obtenu 1 an avant la photo par la méthode du conteneur (voir p. 52).

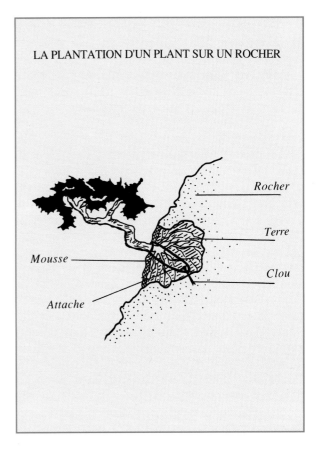

LA PLANTATION D'UN PLANT SUR UN ROCHER

Rocher

Terre

Clou

Mousse

Attache

❏ **Plantation sur rocher**

La plantation sur rocher (ou plantation rupestre) est un des plaisirs de la culture du bonsaï, car au même titre qu'une forêt, et peut-être avec plus d'art, on arrive à composer de véritables paysages miniatures.

Il faut distinguer deux méthodes de réalisation.

Première méthode, on plante directement sur le rocher, dans des cavités aménagées à cet effet, le rocher de bonne taille reposant sur du gravier ou sur une soucoupe pleine d'eau.

La méthode ne pose aucune difficulté particulière sinon de bien choisir son type de rocher. Le **tuf**, très poreux, constitué d'une trame calcaire enserrant une multitude de petites cavités, est une roche assez tendre se travaillant sans difficulté. Il est à conseiller, car les plantes pourront y être fixées sans problème et les racines se développer dans la masse même du rocher. (Ne choisir que des espèces aimant le calcaire). Le tuf a par ailleurs l'avantage de pouvoir s'imbiber d'humidité qu'il restitue au fur et à mesure des besoins.

Il en est de même avec certaines roches volcaniques poreuses (genre lave) qui ont l'inconvénient d'être beaucoup plus dures et difficiles à travailler.

Sauf exception, les roches massives ne sont pratiquement pas utilisables pour ce genre de plantation.

Cette méthode convient pour la plantation de rocaille avec conifère et plantes grasses vivaces associées, ou conifères, fougères et mousses. Choisir des espèces alpines très résistantes à la sécheresse car le système dessèche très vite.

Deuxième méthode : les racines enserrent le rocher avant de s'enfoncer dans la terre sur laquelle repose le rocher.

Cette méthode est intéressante. Elle se pratique avec des rochers plus compacts, de formes variées, mais elle demande du temps et une préparation.

Il y a deux façons de procéder.

- La première consiste à planter l'arbre dans un tube, une bouteille en plastique d'eau minérale, par exemple. On découvre progressivement les racines en coupant des rondelles de la bouteille. Lorsque le faisceau de racines est suffisamment dégagé et habitué à la lumière, on profite d'un rempotage de printemps pour insérer entre les racines une pierre décorative, laissant ainsi l'impression que la plante a poussé par-dessus la pierre.

- La seconde façon de faire relève du même principe. On rempote au printemps dans un conteneur (gros pot de culture en plastique noir) la plante en disposant ses racines de part et d'autre du rocher qui est entièrement enterré dans le pot. Au fur et à mesure de la croissance de la plante, on découpe des rondelles du pot avec un cutter de façon à abaisser le niveau de la terre et à faire apparaître en même temps le rocher enserré par les racines.

Cela demande dans l'un et l'autre cas une ou plusieurs années de travail pour obtenir un beau bonsaï rupestre. Mais le travail ne présente aucune difficulté particulière et le résultat en vaut la peine.

Très bel ensemble de racines d'érable du Japon sur rocher.

METHODE DE LA BOUTEILLE OU DU CONTENEUR
(Durée de l'opération : 1 à 2 ans).

1. Planter dans un pot un jeune plant dont les racines enserrent un rocher.
2. - 3. En coupant des rondelles du pot, abaisser progressivement le niveau de la terre.
4. Lorsque la plante est bien installée sur son rocher, rempoter dans une coupe.

RACINES VISIBLES

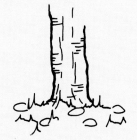 

Pareilles aux veines sur la main du travailleur âgé, les racines traduisent ce travail secret, long et discret, de la plante qui va chercher sa force dans la terre.
Les racines visibles font le charme des bonsaïs âgés, charme qu'il est possible de provoquer en dégageant un peu plus à chaque rempotage la base du tronc. Rappelons-le cependant, cela doit être fait lentement et très progressivement (voir page 15 - Racines et Collet).

❑ Plantation du sous-bois

Le charme d'un bonsaï, et plus encore d'une forêt, vient souvent de la couverture du sol au pied de l'arbre. La terre nue n'est jamais très jolie, par contre un tapis de mousse relève l'ensemble arbre/coupe, accentue son caractère de fraîcheur, donne de l'âge à la plante.

- Nous allons passer en revue quelques plantes dont l'association avec le petit arbre assure la réussite de la composition, étant bien entendu qu'il est toujours souhaitable de favoriser l'implantation de mousses ou de plantes pour arriver à une véritable création du paysage miniature.

La mousse

Les variétés de mousse sont très nombreuses, il suffit pour s'en convaincre de se promener en forêt. Seule la mousse très rase, poussant sur les arbres ou sur les vieux murs convient. La mousse a pour particularité de ne pas avoir de racines ; elle est fixée au sol par des poils absorbants. Elle fructifie par spore, ce qui explique qu'elle s'implante en général toute seule sur un bonsaï, la dissémination des spores étant très grande. On peut favoriser l'implantation de la mousse sur un bonsaï en la déposant par petits paquets sur le sol. Une autre technique consiste à saupoudrer le sol avec de la mousse sèche pulvérisée entre les mains ce qui amène des spores au sol.

Au moment du rempotage, conserver intact le tapis de mousse au pied de la plante.

La mousse ne nuit en aucun cas à la plante. Bien au contraire, elle limite l'évaporation du sol et entretient une certaine humidité ambiante autour du bonsaï.

Eviter cependant que la mousse aille jusqu'au pied de l'arbre, qu'elle risquerait de gêner. Nettoyer le pied de l'arbre sur quelques centimètres lorsque la mousse devient trop envahissante.

La sagine

La sagine est une mauvaise herbe. Sa taille très petite, son port étoilé en font une plante qui s'harmonise parfaitement avec le bonsaï à l'égal d'un petit gazon.

Malheureusement, elle est très envahissante et ses racines descendent au fond de la coupe où elles volent littéralement la nourriture au bonsaï. Elle favorise par ailleurs le dessèchement du pain de racines et devient rapidement une concurrente dangereuse pour le bonsaï.

Supprimer donc la sagine dès qu'elle apparaît, même si son apparence vous séduit.

Les fougères

Les fougères sont des plantes très frugales qui se contentent de peu et qui par petites touffes forment de ravissants sous-bois. Sous un bonsaï, la taille de la fougère reste naine, mais il faut choisir des espèces naturellement petites poussant surtout sur les rochers. Parmi celles-ci, il existe une variété naine du Polypode vulgaire *(Polypodium vulgare)* qui est une fougère persistante intéressante. Peuvent également convenir : Ceterach officinale et Blechnum spicant.

L'Ophiopogon Japonicum

C'est une plante bulbeuse, traçante et qui forme de petites touffes vert foncé avec des petites feuilles en lamelles de 2 mm de large sur 4 à 5 cm de long. Sa floraison blanche, et surtout ses fruits en baies violacées en font une remarquable plante de sous-bois.

Plantes alpines

Il y a quantité de plantes alpines très naines qui peuvent parfaitement s'associer avec un pin par exemple et former une véritable rocaille miniature. Parmi les genres les plus courants, on relève *Sempervirum* (ou joubarbe), *Sedum* (ou orpin) et tous les saxifrages variés. Toutes ces plantes sont extrêmement résistantes, mais demandent du soleil. Il faut donc les associer, soit avec un pin, soit dans une composition rupestre.

Cela nous amène d'ailleurs à faire un choix en la matière :
- ou bien on constitue un sous-bois frais et humide avec mousse et fougère,
- ou bien on crée une rocaille miniature sèche avec un conifère, un bonsaï rupestre et des plantes alpines.

La violette

Il existe de ravissantes variétés de violettes très naines qui nous viennent du Japon et dont le feuillage, autant que la fleur, sont un enchantement. On les trouve malheureusement très rarement.

La liste ne s'arrête pas là. A vous de découvrir la plante naine qui vous rappellera peut-être quelques souvenirs de vacances et qui s'associera à votre bonsaï pour le plus grand plaisir des yeux.

Pour les bonsaïs d'intérieur, nous mentionnerons deux classiques :
- *Pilea muscosa,* plante à feuilles minuscules, et qui prend un port prostré,
- *Selaginelle,* plante rampante assez semblable à de la mousse que l'on trouve chez les horticulteurs ou les fleuristes.

Ce "pain" de racines montre la nécessité d'un rempotage chez ce Métaséquoia.

LE REMPOTAGE

Le rempotage est une nécessité sur toutes les plantes en pot et en particulier sur les jeunes plantes. Il s'agit soit de changer de pot, soit tout simplement de changer de terre.

Pourquoi rempoter ?

- Le faible volume de terre ne permet pas à la plante de vivre indéfiniment. La terre s'épuise en éléments fertilisants, l'humus disparaît, la structure du sol change et celui-ci ne fixe plus les éléments minéraux.
- Les racines se développent de façon importante et finissent pas occuper la moitié ou plus du pot. Leur force et leur volume soulèvent parfois la plante hors du pot.

Quand rempoter ?

Si l'on dispose d'une serre froide hors gel, on peut rempoter tout l'hiver, car le système radiculaire ne connaît pas de repos hivernal, notamment chez les arbres à feuilles caduques. Un vieux dicton précise même qu'à la Sainte-Catherine (25 novembre) tout bois prend racine. Il faut cependant être sûr que le sol ne gèlera pas, car en coupe les racines restent sensibles au froid.

La meilleure et souvent la seule période possible reste le mois de mars, juste après l'hiver. Une partie des racines formant le pain de racines périt naturellement en hiver. La plante est encore en repos de végétation mais la cicatrisation des racines coupées sera plus rapide et le démêlage des racines facilité.

Comment rempoter ?

Le rempotage consiste à changer la terre, supprimer une partie des racines et éventuellement changer de coupe.

Il faut :
- Sortir la plante de sa coupe et vérifier l'état de ses racines.
- Préparer la coupe (l'ancienne si l'on rempote dans la même coupe) en obturant les trous avec des grilles ou du tulle plastique, les fixer éventuellement, mais ce n'est pas indispensable, avec du fil de cuivre.
- Epandre sur le fond une couche de sable grossier destiné à drainer l'excès d'eau.
- Défaire le pain de racines en le peignant avec une griffe ou une fourchette en essayant de blesser le moins possible les grosses racines. Lorsque

les racines sont bien peignées, supprimer environ un tiers à la moitié des petites racines avec une paire de ciseaux. Enlever le maximum de vieille terre.

- Mettre un peu de terre dans le fond de la coupe et y placer le bonsaï. Si le volume de celui-ci est important et que la coupe est très plate, il est indispensable d'amarrer la motte en passant les deux extrémités d'une boucle d'un fil de cuivre par le trou de drainage du pot et en fixant la motte avec ces deux ou quatre fils de cuivre.

- Mettre du terreau frais et neuf tout autour de la motte et tasser d'abord avec les doigts puis avec votre piton de rideau, assez fortement.-

- Replacer la mousse qui aura été ou conservée sur la motte ou préalablement enlevée, sur la surface du pot.

- Arroser très abondamment mais progressivement avec une pomme fine. Eventuellement, laisser tremper la coupe dans une cuvette d'eau dont le niveau sera maintenu en dessous du niveau de la terre jusqu'à ce que la terre soit totalement saturée d'eau.

- Laisser égoutter ensuite et placer votre bonsaï à l'abri du vent et à l'ombre pendant plusieurs semaines, jusqu'à ce que le système radiculaire soit de nouveau formé et surtout **ne pas donner d'engrais** pendant cette période.

Périodicité de rempotage

La périodicité du rempotage varie suivant l'âge et l'espèce végétale.

Une plante jeune dont on cherche le grossissement du tronc doit être rempotée tous les ans.

Une plante âgée dont on cherche simplement à assurer la survie et l'entretien ne doit être rempotée que de façon espacée (tous les 3 à 4 ans ou même moins pour les plantes très âgées).

D'une façon générale, les arbres à feuilles persistantes ont besoin d'être rempotés moins souvent que les arbres à feuilles caduques qui fabriquent plus de matière organique (les feuilles) et qui renouvellent plus souvent leur feuillage. Un pin aura moins besoin d'être rempoté qu'un métaséquoia ou un érable.

Soins après mise en coupe ou rempotage

Une plante qui vient d'être rempotée est comme une personne qui vient d'être opérée. Elle a subi un choc dû à la mise à nu de ses racines, voire à la suppression d'une partie d'entre elles. Il faut

qu'elle puisse se remettre doucement et refaire son système radiculaire avant de reprendre une végétation normale. Prévoir donc un coin à l'ombre, aéré, mais à l'abri du vent. Ne pas laisser dessécher la motte, mais éviter les excès d'arrosage. La plante a moins de racines donc pompe moins d'eau. Par contre les racines coupées doivent se cicatriser et sont autant de plaies par où peuvent pénétrer des parasites. Prévoir donc une convalescence de quelques semaines pour votre plante avant de lui faire reprendre sa place dans votre collection.

Ne jamais arroser une plante qui vient d'être rempotée avec une solution d'engrais. Attendre une bonne reprise de la végétation avant de reprendre la fertilisation. De toute façon, un terreau frais contient assez d'éléments fertilisants pour permettre à la plante de pousser.

Rempotage d'un Cotoneaster

(Se reporter à la page 46 pour les détails complémentaires)

Cotoneaster prêt à être rempoté. Les racines ont été sérieusement taillées, la vieille terre enlevée presque totalement.

Le Cotoneaster dans son conteneur.

Dépotage.

Première taille.

Préparation de la coupe.

Suppression de la terre, taille des racines et rempotage.

Tassement de la terre.

Le travail est fini.

Arrosage à la pissette.

59

OU METTRE LES BONSAIS ?
PRESENTATION

La question se pose différemment suivant que l'on possède un ou deux bonsaïs ou une collection de plusieurs dizaines de spécimens, suivant aussi que l'on possède un jardin ou non.

Le bonsaï en isolé peut être décoratif dans un décor approprié ou sur un support prévu à cet usage, que ce soit sur un balcon, une terrasse ou un coin de jardin. Il remplacera la potée fleurie classique et créera une ambiance un peu exotique.

La collection de bonsaïs pose un autre problème. Il y a d'abord celui du suivi des plantes tant au point de vue de l'arrosage que de la végétation, ce qui implique un regroupement des bonsaïs. Les besoins en ombrage sont nécessaires sous climat continental ou méditerranéen. Il faut consacrer un coin bien choisi pour l'aménagement de ce que certains appellent pompeusement un parc à bonsaï, mais qui sera tout simplement un espace consacré au bonsaï avec tablettes, bassin de trempage, table de travail, espace à qui on peut donner sans difficulté et à moindres frais une note japonaise. Il existe suffisamment de littérature à ce sujet et nous renvoyons le lecteur à l'excellent ouvrage "Une note japonaise dans votre jardin" publié à la Maison Rustique.

Cet espace japonais peut être agrémenté de lanterne en pierre, de potées de bambou, d'étagères et être installée aussi bien sur une terrasse que dans une cour ou un coin de jardin.

L'important dans bien des régions est de mettre ses bonsaïs à l'abri du vent. Le vent est desséchant, il peut renverser les petits bonsaïs, voire même les grosses pièces, il peut être froid. Dans tous les cas il limite la végétation en obligeant la plante à fermer ses stomates et à lutter contre le desséchement. Choisir un endroit à l'abri du vent, ou prévoir des brises-vents, soit naturel sous forme de haie, soit en claies ou en brise-vent plastique (laissant cependant passer 50 % du vent, car la qualité d'un bon brise-vent n'est pas d'arrêter le vent, mais de le freiner suffisamment pour qu'il ne cause pas de dégât).

LA TAILLE

Taille et pincements. Généralités.

L'art du bonsaï repose avant tout sur la taille et sur le pincement.

L'un et l'autre induisent la formation de l'arbre et sur ce plan c'est autant le goût artistique que la qualité de la taille qui donne à l'arbre son caractère et sa valeur.

La taille se pratique avec un petit sécateur, une paire de ciseaux ou une pince à branche. Elle s'effectue sur le bois de l'année passée, au printemps : c'est la taille de formation qui est facilitée à cette saison par l'absence de feuilles, ce qui dégage totalement la structure de l'arbre. Cette taille est importante, car elle permet la mise en forme de l'arbre et conditionne son développement pour l'année.

La paire de ciseaux est l'outil généralement le plus utilisé pour ce travail à condition que les branches ne soient pas trop importantes. Dans ce cas utiliser un petit sécateur, ou s'il s'agit de supprimer la branche à ras du tronc, la pince concave à branche.

La taille se pratique également en vert sur les branches de l'année et en cours de végétation.

Cette taille se fait toujours avec une paire de ciseaux et peut s'apparenter à un pincement.

On appelle *pincement* une taille légère qui se pratique avec deux ongles ou avec une paire de ciseaux à bourgeons, c'est-à-dire beaucoup plus fine, sur une branche très jeune et très tendre ou pour la suppression ou la réduction d'un bourgeon (notamment pour les conifères).

La plaie de taille doit toujours être nette pour éviter toute infection ; limiter sa surface facilite sa cicatrisation. C'est pourquoi les outils doivent être affûtés et entretenus. Lorsque la plaie de taille est importante (suite par exemple à la suppression d'une grossse branche), mastiquer avec du **mastic à cicatriser (et non du mastic à greffer)**, cela évite les plaies importantes, sources d'infection et aide à une bonne cicatrisation. Certains auteurs recommandent une désinfection des outils de coupe à la flamme après chaque opération. Cela paraît superflu, car ce n'est pas la taille régulière de quelques espèces variées avec une paire de ciseaux qui risque d'infecter la plante. La présence de pucerons est beaucoup plus dangereuse.

Les formes et les styles

La première règle que nous donnerons est simple. La forme du bonsaï est celle qui correspond au caractère et au tempérament de son maître. C'est par goût, par nature, par affinité que le possesseur d'un bonsaï travaille et forme son bonsaï. Il ne s'agit pas de chercher à tout prix le canon parfait du bonsaï. Certaines règles sont à respecter, une tendance doit être suivie pour que le caractère de bonsaï puisse s'affirmer. Mais il n'y a pas deux bonsaïs identiques et l'amour que l'on porte à sa plante est plus important que l'apparente imperfection de celle-ci.

On distingue trois types de bonsaïs :

- Les tout petits bonsaïs de la taille d'une main (ou MAME) qui ne font guère plus de 5 à 15 cm et qui sont une réduction totale de la nature. Difficiles à travailler, desséchant très vite, ces bonsaïs attirent souvent le néophyte mais à tort. Ils vieillissent très mal.

- Les bonsaïs moyens qui sont les plus courants au Japon. Leur taille varie de 20 à 70 cm. C'est ce qui doit être conseillé à tout amateur. C'est l'arbre en pot.

- Le grand bonsaï correspond chez nous à l'arbre en bac. Sa taille varie de 70 cm à 1 m 50. Son poids est en rapport, il faut être deux au moins pour le déplacer. Il correspond plutôt au type chinois.

Quant aux formes, le mieux est de s'inspirer de ce que l'on voit dans la nature. L'idéal est de procéder de la façon suivante. Lorsqu'on a repéré un bel arbre dans la nature, le prendre en photo, puis le reproduire schématiquement sur une feuille de papier et essayer de former son bonsaï suivant ce schéma. Avoir un schéma sous les yeux permet déjà une certaine réflexion sur la forme et le devenir du bonsaï.

Chacun a une autre vision de la même chose. On imagine ce que l'on crée et c'est une affaire purement personnelle qui doit induire la tolérance à l'égard de la création de l'autre.

Il ne faut pas oublier que l'arbre est la liaison entre la terre dans laquelle il plonge ses racines et le ciel dans lequel il développe sa ramure. Le Japonais, dans le respect de cette trilogie ciel, terre, arbre, donne à l'arbre cette forme triangulaire qui doit symboliser Dieu (la Trinité).

Il n'est pas indispensable de se référer au vocabulaire japonais pour classer son bonsaï mais il n'est pas mauvais de savoir à quel style se rattache votre bonsaï, même si celui-ci n'est pas parfait. Le tableau de la page suivante présente succinctement ces principaux styles.

HARMONIE DE LA TAILLE EN TRIANGLE

LA TAILLE DES BRANCHES ET DES RACINES

LES DIFFERENTS STYLES

A UN SEUL TRONC

*Chokkan.
Parfaitement verti-
cal et régulier.*

*Moyôgi ou Tachiki.
Légèrement incliné
et dissymétrique.*

*Hokidachi.
Forme en balai ou
en boule.*

*Nejikan.
Tronc légèrement
tordu.*

*Neagari.
Avec racines ap-
parentes.*

*Shakan.
Forme penchée à
cime extérieure à
la perpendiculaire
du pot.*

*Kengai.
Forme en cas-
cade.*

*Han Kengai.
Semi-cascade.*

*Fukinagashi.
Arbre battu par le
vent.*

*Bunjingi.
Le 'Lettré' au tronc
très dégagé.*

*Ishitzuki-Sekijoju.
Plantation sur ro-
cher.
Les racines enser-
rent le rocher et
plongent dans la
terre.*

*Ishitzuki.
Plantation sur
rocher.*

PLUSIEURS TRONCS SUR UNE SOUCHE

*Kabudachi.
Cépée d'arbres.
Plusieurs troncs
sur une même
souche.*

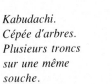

*Sokan.
Tronc double père
et fils.*

*Ikada.
En radeau.*

FORET

*Yose-Ue.
Forme forestière.*

Comment tailler ?

Il faut distinguer deux cas suivant qu'il s'agit d'une jeune plante en formation, ce qui est le plus courant, ou qu'il s'agit d'une taille d'entretien d'une plante déjà formée et dont on cherche simplement à entretenir la structure, encore qu'un bonsaï soit en formation permanente et qu'il faille constamment le perfectionner.

❑ Taille de formation

La formation d'un bonsaï est toujours liée à la taille et au ligaturage. Il est même difficile de séparer les deux, car bien souvent le ligaturage qui donne la forme précède la taille qui achève le travail.

La taille de formation sera différente suivant que l'on part d'un jeune plant ou d'une plante de pépinière en conteneur que l'on forme en supprimant une grande partie des rameaux.

Formation d'un jeune plant.

Si celui-ci est préformé, tant mieux. Continuez le travail de formation. Si par contre vous partez d'un jeune plant, suivez le schéma ci-dessous.

1er temps. Couper votre plant à la hauteur que vous souhaitez pour le tronc de votre bonsaï.

- Des bourgeons latéraux vont démarrer et formeront des branches qui sont la charpente de l'arbre. Ces branches sont très importantes car ce sont elles qui vont donner la couronne.

2e temps. Tailler ces branches à 2/3 yeux, de manière à obtenir une ramification naturelle de vos branches.

3e temps. Tailler les rameaux à 2 yeux régulièrement, votre couronne se desssine lentement.

Quelques principes de l'arboriculture fruitière ou ornementale sont parfaitement applicables au bonsaï :

- Tailler toujours sur un bourgeon inférieur de façon à éviter que le rameau issu du dernier bourgeon se redresse.

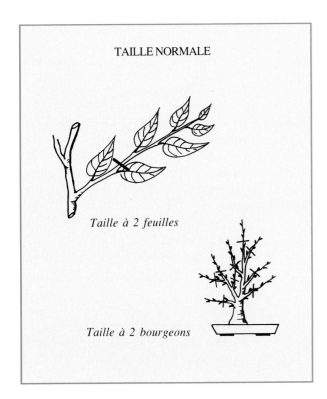

TAILLE NORMALE

Taille à 2 feuilles

Taille à 2 bourgeons

Avant de tailler, bien réfléchir, car une branche forte ne se refait pas comme un jeune rameau. En l'occurence, il n'y a pas de règle stricte pour la taille. Lorsqu'on choisit un plant adulte de pépinière, on voit déjà quel parti on veut en tirer. Chaque plante étant différente, c'est à l'amateur de faire son choix.

Les règles de la taille de formation restent tout à fait valables pour une plante adulte.

Il est bien entendu que ce travail se fait en principe au printemps, avant le démarrage de la végétation et qu'il est complémentaire de la mise en coupe.

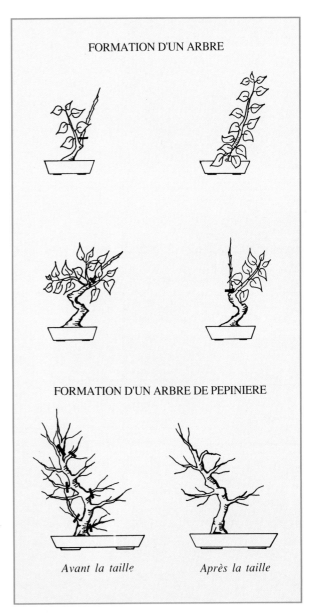

FORMATION D'UN ARBRE

FORMATION D'UN ARBRE DE PEPINIERE

Avant la taille   *Après la taille*

- Couper sans hésiter branches et rameaux se dirigeant vers l'intérieur de la couronne.

- Dégager l'intérieur de la couronne de l'arbre de manière à aérer le centre et à faire apparaître la charpente. L'esthétique y gagne et la santé de la plante aussi. C'est en effet à l'intérieur d'une plante touffue que se développent de préférence les parasites.

Formation d'un plant adulte de pépinière.

Le travail est plus délicat, car il s'agit de choisir les branches qui formeront le bonsaï et de supprimer celles qui sont sans intérêt. Il faut en général prendre un sécateur ou une pince à branche, car le bois est souvent dur. Faire des coupes très franches qu'il faut mastiquer.

Ce jeune Charme de 8/10 ans, mis en coupe l'année précédente, a déjà une forme et un tronc intéressants. (voir page 10 - photo du bas).

3 à 4 pincements sont nécessaires pendant la période de végétation.

Noter le tabouret à vis, tournant, très pratique pour travailler.

❑ **La taille d'entretien**

La taille d'entretien est la suite normale de la formation, lorsque le bonsaï a atteint la forme définitive que l'on souhaite lui donner.

Elle est indispensable car un arbre même âgé non taillé prend vite une forme hirsute qui n'a plus rien à voir avec un bonsaï.

La taille d'entretien se fait essentiellement en période de végétation sur les jeunes rameaux. Elle a pour but de conserver à l'arbre sa forme et de développer les petits rameaux ou brindilles. Elle se pratique presque toujours sur 2 yeux chez les feuillus, de mai à août, en 3 ou 4 passages suivant la vitesse de croissance, avec des ciseaux fins.

Le pincement sur bourgeon est parfois complémentaire. Il se pratique surtout sur les conifères.

On peut noter une technique assez artificielle qui consiste à couper les feuilles des arbres (Erable du Japon par exemple) pour en réduire la grandeur. C'est là une technique antinaturelle que nous réprouvons.

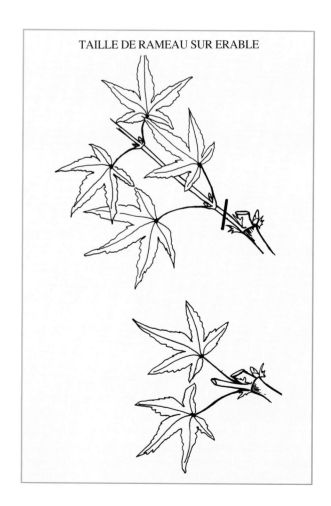

TAILLE DE RAMEAU SUR ERABLE

❑ Le pincement des conifères

La croissance des conifères est un peu différente des feuillus.

Certains conifères ont une croissance continue pendant toute la période de végétation (Chamaecyparis, Metasequoia, Mélèze, Genévrier, Cryptomeria, Thuya), ce qui permet de les tailler régulièrement, car ils ont la faculté de reformer des bourgeons sur la branche et de continuer à pousser. Ils ont également la possibilité de former des bourgeons sur le vieux bois (If, par exemple).

D'autres conifères par contre n'ont qu'une pousse par an et ne reforment pas ou très rarement de bourgeons sur les rameaux et jamais sur le vieux bois. Il faut donc les tailler une fois de manière très précise pour ne pas les dénaturer.

Pour le pin, le pincement se pratique en mai-juin sur les "chandelles" au 1/3 de la longueur de celles-ci. Cela se pratique avec les ongles, voire des ciseaux très fins, mais il ne faut jamais couper les bourgeons avec des aiguilles, car les aiguilles dessèchent et les bourgeons restent atrophiés. Le meilleur moyen est de casser le bourgeon du pin au 1/3 de sa longueur.

Pour l'épicéa ou l'abies, ce pincement se fait en mai lorsque les bourgeons sont tendres. L'épicéa refait une seconde pousse plus petite dans le courant de l'été.

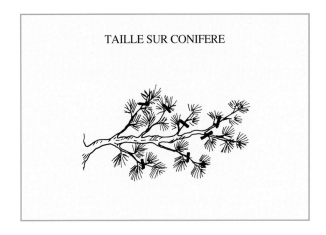

TAILLE SUR CONIFÈRE

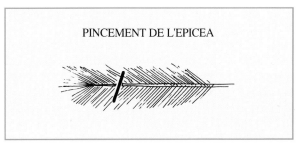

PINCEMENT DE L'EPICEA

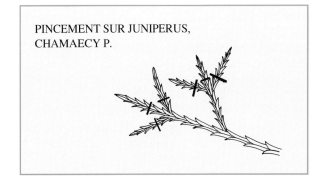

PINCEMENT SUR JUNIPERUS, CHAMAECY P.

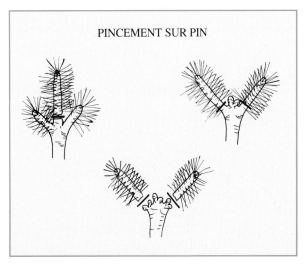

PINCEMENT SUR PIN

Notre conseil

Taille et pincement sont des opérations importantes à ne pas négliger pendant toute la période de végétation. Après une bonne taille, l'arrosage peut être réduit légèrement.

Une taille suivie et fréquente favorise une diminution de la grandeur des feuilles. Ne pas oublier cependant que la suppression et l'évacuation d'une partie du feuillage est un prélèvement de matière qu'il faut compenser par des apports réguliers d'engrais (voir page 74).

Bien des néophytes ont quelques appréhensions à se lancer dans la taille. C'est pourquoi il vaut mieux se faire la main sur des arbres de faible valeur et à croissance rapide. Petit à petit, on finit par mieux comprendre le principe de la taille et par acquérir un coup de main tout à fait honorable. De toute façon, il ne faut jamais commencer avec un bonsaï adulte et âgé.

❏ Le ligaturage

Le ligaturage est une opération provisoire qui a pour but de modifier l'orientation naturelle des branches pour donner au bonsaï le style et la forme souhaités.

C'est une opération provisoire, car il ne faut pas laisser en place plus de quelques mois le fil d'aluminium ou de cuivre qui risquerait de s'incruster et de déformer définitivement l'écorce de l'arbre, voire de lui causer des lésions irréversibles.

Nous avons déjà parlé du fil à ligaturer lors de la description du matériel. Il faut simplement adapter le calibre du fil au travail souhaité (diamètre de 1 à 3,5 mm).

On ne donne la forme et l'orientation souhaitées à la branche qu'une fois le fil posé.

La ligature modifiant et ralentissant la circulation de la sève, il faut éviter de ligaturer une plante affaiblie ou que l'on souhaite voir grossir. Eviter donc en conséquence de faire coïncider rempotage et ligaturage.

En principe, la ligature n'est pas spécialement esthétique. Si son utilité est réelle, éviter de prolonger son application, en procédant par étape sur une même plante.

De toute façon il ne faut jamais serrer la ligature trop fortement autour du tronc ou d'une branche, laisser un peu de jeu.

On peut utiliser également des serre-joints pour modifier l'orientation du tronc ou lui donner une courbure. Cela est un peu barbare ; par contre, l'utilisation de petits morceaux de bois pour écarter deux troncs est tout à fait valable et ne nécessite pas de matériel particulier.

LIGATURAGE

1. Utiliser un fil à ligaturer dont le diamètre sera proportionnel à la grosseur de la branche. il faut toujours commencer par le bas et remonter vers les rameaux plus faibles.
Effectuer le ligaturage avant la montée de sève du printemps, période où l'écorce est plus sensible.

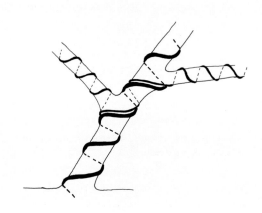

2. La mise en forme d'une branche se fait après ligaturage ; la taille éventuellement aussi.

LIGATURAGE D'UN RAMEAU AVEC SUPPRESSION DES RAMILLES INFERIEURES

1

2

3

4

5

6

Ligaturage

Ce conifère d'origine japonaise est un Sciadopitys Verticillata.

Le ligaturage est nécessaire pour un port naturel droit et équilibré.

1. - La suppression de quelques rameaux permet d'y voir plus clair.
2. - Enfoncer le fil dans la terre profondément au pied de l'arbre, puis l'enrouler en spirale autour du tronc.
3. - L'enrouler ensuite autour de la branche.
4. - Couper le fil avec une pince d'électricien.
5. - Plier la branche pour lui donner la position souhaitée.
6. - Recommencer avec la branche voisine.
7. - Une fois le ligaturage terminé, la plante a un port régulier, ce qui lui permettra de pousser de manière harmonieuse.

7

Ligaturage du pin.

On ligature en général à la fin de l'hiver pour les conifères ou au printemps pour les feuillus, mais cela n'est pas une règle générale.

Le **haubanage** est également une technique intéressante pour tirer une branche vers le bas au moyen d'un fil de cuivre.

Suppression de la ligature

La suppression de la ligature est une opération délicate.

Il faut le faire avant que le fil soit incrusté dans l'écorce, en évitant de blesser l'écorce. Pour cela, couper le fil en petits morceaux en le déroulant très lentement.

Ne prenez pas vos ciseaux ou votre pince à branche pour couper le fil de cuivre. Une pince d'électricien convient parfaitement.

HAUBANAGE

Prendre appui soit sur le tronc, soit sur la coupe elle-même.

JIN
Le vieillissement.

Le vieillissement d'un arbre est une chose naturelle. Dans la nature, il peut être le fait de la foudre (photo de gauche), des insectes, d'un champignon ou de toute autre cause mutilante pour l'arbre. L'arbre peut être profondément atteint tout en continuant à vivre. L'observation de ce phénomène et la beauté des formes d'une branche ou d'une racine dénudées ont amené les Japonais à appliquer sur leur bonsaï une technique du vieillissement qu'ils appellent JIN.

Elle consiste à dénuder certaines branches ou une partie du tronc comme s'ils avaient subi un accident naturel. L'écorçage fait partie de cette technique et, pour plus de réalisme, le blanchissement du bois avec de l'eau de Javel.

La photographie ci-dessous et celle de la page 26 illustrent cette technique, sur le Genévrier qui le supporte très bien d'ailleurs.

Genévrier (3-4 ans). Juniperus horizontalis, variété "Blue Chip".

L'ENTRETIEN

NETTOYAGE ET DESHERBAGE

En dehors du nettoyage tout simple qui consiste à balayer avec un petit balai ou un blaireau à barbe la surface du sol et à enlever les feuilles sèches ou les fleurs fanées, le désherbage s'impose bien souvent, car les soins apportés aux bonsaïs favorisent la germination de mauvaises herbes du fait de l'humidité régulière et de la fertilisation.

Les mauvaises herbes sont souvent aussi apportées avec la terre de la motte du jeune plant. Elles sont faciles à repérer dès qu'elles forment leurs premières feuilles et il ne faut pas hésiter à arracher les jeunes plantules avec une pince ou avec les doigts.

En dehors de ce que vous aurez planté, considérez que tout ce qui pousse sous votre bonsaï est une mauvaise herbe que vous arracherez sans pitié.

Nous avons déjà parlé de la **sagine**, on peut dire deux mots de l'**hépatique** qui n'est pas une mousse, bien qu'étant une plante verte et qu'il faut absolument supprimer, car elle est totalement étouffante pour la plante.

Hépatique : attention !

LA FERTILISATION

La fumure, c'est l'alimentation de la plante. Ne rien apporter, c'est laisser mourir la plante de faim dans son pot.

Si dans la nature les racines vont parfois très loin chercher la nourriture et l'eau nécessaire à la vie de l'arbre, il n'en est rien pour le bonsaï dont les racines ont vite exploré et fait le tour de la coupe. Il importe donc de nourrir son bonsaï.

Les principaux éléments nutritifs de la plante sont :

- l'Azote (symbole N) qui favorise la croissance et donne aux feuilles leur apparence verte et saine,

- l'Acide phosphorique (symbole P) et la Potasse (symbole K) favorisent le développement, le durcissement et la floraison.

Ces trois éléments sont à la base de l'alimentation de la plante, même si d'autres éléments (fer, magnésium, calcium, soufre ainsi que les oligoéléments) entrent également en ligne de compte. C'est pourquoi le choix d'un engrais, minéral ou organique, est très important.

Choix du type de fumure

Il faut savoir qu'une plante n'absorbe que des éléments minéraux solubles dans l'eau.

La matière organique, et donc tous les fumiers ou autres produits naturels ne sont pas absorbés par la plante. Ils sont cependant nécessaires à la vie de la plante et complémentaires de la fumure minérale.

❏ La fumure organique

Ce sont tous les engrais liés au carbone, autrement dit liés à la matière organique végétale ou animale. Un engrais organique ne peut être absorbé tel quel par la plante ; il doit être minéralisé, c'est-à-dire être décomposé dans un premier temps par les microorganismes du sol (champignons, bactéries) ; les éléments N, P, K libérés sous forme minérale sont alors mis en solution dans l'eau du sol pour être absorbés par la plante.

L'engrais organique est important.

D'abord il est issu du monde vivant, il est absolument naturel et favorise la vie microbienne du sol, indispensable pour l'équilibre de la plante.

De plus il apporte des tas d'autres éléments (ou oligoéléments) à la plante et surtout il constitue une réserve alimentaire sur plusieurs mois car sa décomposition est lente (il faut de l'eau, de la chaleur et du temps).

L'engrais organique constitue ce qu'on appelle une fumure de fond. Suivant son origine il est souvent déséquilibré (déjections animales, sang, poudre d'os) ; l'apport d'engrais organique doit être complété par un engrais minéral.

L'engrais organique que nous conseillons est la **corne** torréfiée en poudre que l'on répand à la surface de la terre ou que l'on mélange à la terre de rempotage.

On le fait une fois au printemps et pour la saison, à raison de 5 à 10 g par plante.

La poudre de corne contient 12 % d'azote, bien sûr de l'acide phosphorique, de la potasse et de la chaux, mais également un tas d'oligoéléments absolument indispensables à la plante.

Importées du Japon, on trouve aussi des boulettes d'engrais de composition variable que l'on

pose à même la terre du bonsaï. Outre le côté inesthétique de ces boulettes, composées de déchets de tourteaux, elles risquent de dégager une odeur et leur action est trop localisée.

A noter cependant que l'engrais organique ne doit pas être apporté au bonsaï d'intérieur pour les raisons suivantes : les conditions de chaleur et l'humidité de l'appartement favorisent une décomposition trop rapide de cet engrais, qui de ce fait risque de dégager une odeur et de faire mourir la plante. Le manque d'air est à l'origine du développement de moucherons, voire d'asticots fort désagréables. Pour les bonsaïs d'intérieur, qui sont en fait des plantes vertes miniaturisées, on apportera un engrais minéral pour plantes vertes à dose réduite de moitié.

❏ Les engrais minéraux

Les engrais minéraux sont chimiquement purs, totalement solubles et directement assimilables par la plante. Leur action est très rapide et ils ne doivent intervenir qu'en complément de l'engrais organique, sous forme **parfaitement dosée**. Ils sont indispensables, mais l'apport doit être fractionné tout au long de l'été ; ils aident à la croissance et à la subsistance de la plante.

L'apport se fera pendant toute la période de végétation de mai à septembre inclus. Il est aussi important au début de la croissance qu'en fin d'été où il permet à la plante d'accumuler des réserves pour l'hiver et de lui donner assez de force pour un bon démarrage au printemps.

Quel engrais, quelle dose, quelle fréquence ?

Il existe actuellement des "engrais bonsaï" sur le marché. Ils n'apportent rien de plus qu'un bon engrais pour plantes vertes. L'engrais en poudre est à préférer à l'engrais liquide. Il permet des dosages plus fins et certains types d'engrais contiennent des oligo-éléments.

L'engrais Pokon en poudre avec un dosage NPK = 16.21.27 donne d'excellents résultats et a fait ses preuves depuis de longues années.

Quel dosage ? La quantité d'engrais pour une solution bonsaï doit être égale à la moitié de la dose utilisée pour les plantes vertes (environ 1,5 g/litre pour l'engrais Pokon en poudre).

Fréquence de la fertilisation : En général, l'arrosage à l'engrais minéral doit se pratiquer une fois par semaine de mai à juillet. A partir du mois d'août,

espacer les arrosages à quinzaine et arrêter impérativement mi-septembre.

En hiver, la plante est en repos de végétation. Elle n'a donc pas besoin d'engrais ; ceci est valable pour les plantes à feuillage persistant et les bonsaïs d'intérieur.

Il est bien entendu que les besoins des plantes sont variables suivant les espèces et qu'un certain doigté et une certaine sensibilité sont nécessaires.

Il faut par ailleurs savoir s'adapter à l'état végétatif de la plante. Une plante jeune en pleine croissance a des besoins plus grands qu'une plante adulte.

Enfin, éviter tout excès sous l'une ou l'autre forme. La plante prend ce dont elle a besoin. Un manque est perceptible par un jaunissement des feuilles, un air chétif, moins sain, une vigueur absente. Un excès se traduit rapidement par un flétrissement du feuillage qui devient vert foncé dans un premier temps puis dessèche. En cas d'excès qui correspond à une concentration trop forte de sels minéraux dans le sol, tremper la motte dans une bassine d'eau de manière à lessiver complètement les éléments minéraux.

REGLE D'OR D'UNE BONNE FERTILISATION

❏ *Bonsaïs d'extérieur*
    Associer les 2 types de fumure
    - ***organique*** *au printemps, sous forme de corne torréfiée en poudre soit incorporée au mélange de terre lors du rempotage (3 à 10 g par plante suivant la grandeur de la coupe), soit épandue à la surface du pot.*
    - ***minérale,*** *avec l'eau d'arrosage de fin mai à septembre, toutes les semaines ou quinzaine suivant les plantes avec un bon engrais soluble pour plantes vertes, en dose réduite de moitié.*

❏ *Bonsaïs d'intérieur*
    *Fumure **minérale** uniquement 2 à 3 fois par mois avec un engrais pour plantes vertes en dose réduite de moitié, de mai à septembre.*
    En hiver, 1 fois par mois au plus pour les plantes en activité végétative, dans une pièce chauffée à 18° ou plus.

ARROSAGE ET PULVERISATION

L'eau est indispensable à la vie de la plante.

Celle-ci absorbe par les racines l'eau contenue dans la terre. La quantité d'eau nécessaire par plante est variable suivant les espèces. Le pin ne veut qu'assez peu d'eau alors que le Cyprès chauve de Virginie vit pratiquement les pieds dans l'eau. L'excès pour le premier sera aussi nuisible que le manque d'eau pour le second.

La plante absorbe aussi de l'eau par le feuillage. Une ambiance humide favorise la croissance des plantes. En ambiance très sèche, la plante ferme ses stomates pour lutter contre l'évaporation et sa croissance se trouve limitée de ce fait, ses échanges avec l'atmosphère étant arrêtés ou très réduits. C'est pourquoi il importe de pulvériser régulièrement de l'eau sur les bonsaïs pour maintenir cette ambiance humide.

❑ L'eau d'arrosage

L'eau du robinet bien que potable pour l'homme est hélas de plus en plus chargée en sels minéraux divers ou produits de désinfection que la plante ne supporte pas (notamment le chlore).

Le calcaire est l'élément minéral le plus répandu dans l'eau ; il est fort préjudiciable pour bon nombre de plantes notamment celles dites de terre de bruyère. D'autre part, des arrosages répétés avec une eau calcaire finissent par accumuler dans le pot une quantité énorme de calcaire qui se manifeste par une croûte blanche sur le dessus de la terre et sur les pots.

Pour lutter contre le calcaire, on utilise parfois des "adoucisseurs" d'eau qui ne font que déplacer en pire pour la plante, le problème, car au lieu d'apporter du calcaire, on apporte du chlorure de sodium (ou sel de cuisine) totalement toxique pour la plante. Surtout ne pas utiliser pour les plantes (et cela est valable d'une façon générale pour toutes les plantes) l'eau en provenance d'un adoucisseur ménager. L'idéal est l'eau de pluie, bien sûr, la plus naturelle, mais qu'il faut laisser reposer un certain temps car elle aussi est actuellement chargée, du fait de la pollution, d'éléments toxiques pour la plante (plomb, acide sulfurique, etc.).

Certaines eaux de table du commerce, réputées pour leur absence d'éléments minéraux comme Evian ou Volvic, peuvent très bien convenir, d'autant qu'il ne faut pas de grandes quantités d'eau pour arroser un bonsaï.

La nature de l'eau pour la plante est importante, sa qualité est primordiale.

A noter qu'il ne faut pas utiliser une eau très froide pour l'arrosage. Cela risque de causer un choc thermique à la plante. Prendre une eau à température ambiante.

❑ Technique de l'arrosage

Arrosage (on utilise aussi le terme de bassinage qui est un arrosage léger) et pulvérisation sont complémentaires.

La terre devant être humide, mais sans excès, l'arrosage est un peu fonction du temps et des conditions météorologiques.

En pleine végétation, par temps chaud et par grand vent, il est parfois nécessaire d'arroser deux à trois fois par jour et de compléter par des pulvérisations. Par temps couvert et humide, on peut presque s'en passer si la motte reste humide. L'arrosage est une question de sensibilité et de rapport avec les plantes, et il faut s'entraîner à sentir les besoins de chaque plante prise individuellement en trouvant le juste milieu.

Ni trop, ni trop peu !

L'arrosage se pratique avec une pissette, un arrosoir à pomme fine, et si l'on a une grande collection, un système de brumisation est idéal.

Lorsque la motte est trop sèche pour absorber l'eau (après un oubli par exemple) on peut tremper la plante dans une bassine jusqu'à ce qu'aucune bulle d'air ne sorte de la motte. Il ne faut pas la laisser séjourner dans la bassine et bien laisser égoutter la coupe après l'avoir sortie de la bassine.

Les arrosages sont pratiquement quotidiens du printemps à l'automne. Ils s'espacent avec la chute des feuilles, mais il faut veiller l'hiver à ce que la motte ne soit jamais sèche (voir hivernage p. 77).

A noter également que les arrosages sont fonction de l'état physiologique de la plante.

Une plante en pleine floraison a besoin de beaucoup d'eau, de même qu'une plante qui porte des fruits.

Une plante qui vient d'être taillée a un besoin plus réduit, une partie de son système d'évaporation ayant été supprimé. Il en est de même nous l'avons vu à la suite du rempotage, lorsqu'une partie des racines a été taillée. L'excès dans ces conditions risque d'entraîner la pourriture des racines.

L'HIVERNAGE

L'automne arrive. Les feuilles prennent une coloration souvent éclatante puis tombent lentement avec les premiers froids. Que faire avec nos bonsaïs ?

Le Japon situé dans notre hémisphère à la latitude du Sud de l'Espagne a comme chez nous quatre saisons marquées nettement. Néanmoins, même si la neige est souvent au rendez-vous d'hiver, du fait de sa situation insulaire, le Japon jouit d'un climat maritime. Les hivers y sont assez doux et la température descend rarement en-dessous de - 5°. Autant dire qu'il n'y a aucune nécessité de prendre de précautions particulières pour protéger les plantes contre le froid en hiver. Ce n'est pas le cas en France où le climat est beaucoup plus rude et où les contrastes de température été/hiver, mais également au cours du même hiver, sont très importants.

Il est assez rare que l'on ait des conditions climatiques très rigoureuses pendant plusieurs mois au cours de l'hiver.

Il est par contre fréquent qu'au cours du même hiver on connaisse des périodes froides, suivies d'une période de redoux où la végétation a tendance à redémarrer, suivie de nouveau d'une période très froide où les dégâts sur la végétation sont alors considérables du fait du départ de la végétation. Ce fut le cas de l'hiver 1985/86 où sur l'ensemble du territoire national les plantes ont beaucoup souffert.

Mais ces alternances de froid et de redoux peuvent se retrouver au cours de la même journée où l'amplitude des températures entre le jour et la nuit peut atteindre 30° à 40°C pour un endroit très abrité, en plein soleil, ce qui est tout à fait préjudiciable aux plantes (aux plantes à feuillage persistant en particulier).

Il est donc indispensable de préparer les plantes pour un bon hivernage et de respecter un certain nombre de règles pour retrouver au printemps nos bonsaïs en pleine forme.

❏ Hivernage des bonsaïs d'extérieur

Les bonsaïs d'extérieur (à l'exception des plantes méditerranéennes) sont parfaitement capables de passer l'hiver dehors. C'est ce qui se passe dans la nature. La période de froid et de repos hivernal sont même nécessaires à bon nombre d'espèces pour le respect de leur cycle végé-

tatif. Le pin par exemple ne pousse pas sous les tropiques, car son cycle végétatif est complètement perturbé par l'absence de l'hiver et sa croissance absolument folle et irrégulière.

Ce serait donc une erreur de vouloir rentrer en appartement, sous prétexte de protéger les bonsaïs du froid, ses bonsaïs d'extérieur.

Les espèces méditerranéennes ont aussi besoin de cet arrêt de végétation, mais ils sont plus sensibles au froid ; un abri non chauffé mais pouvant descendre à - 5° doit être prévu.

Ce qu'il faut faire :
- La préparation du bonsaï pour l'hivernage commence avec l'**arrêt** de la fertilisation (fin août pour les caduques, mi-septembre pour les persistants et les conifères).
- La **réduction** progressive des arrosages accompagne l'arrêt de la fertilisation. Les plantes ont moins de besoins. Certaines commencent même à perdre leurs feuilles. Il faut que la circulation de la sève ralentisse doucement.
- La **préparation** des caisses ou du local pour l'hivernage qui se fera après les premières gelées qui stoppent net la végétation.

Où mettre les bonsaïs ?
- L'**exposition** doit être la moins ensoleillée possible, ceci pour éviter le phénomène d'amplitude des températures journalières décrit plus haut. Une plante peut supporter le froid et la congélation pendant plusieurs mois ; elle ne supportera pas l'alternance gel/dégel quotidien ou périodique. Cela est valable plus encore pour les persistants qui restent en végétation. Pour ceux qui ne disposent que d'un balcon, rechercher la zone la moins ensoleillée possible.
- L'**abri** : la plupart des bonsaïs d'extérieur peuvent passer l'hiver en plein air dehors comme leurs congénères du jardin. Il faut cependant savoir que le système radiculaire des plantes de jardin est à 1 ou 2 m de profondeur dans le sol donc hors gel, et qu'une couche de feuilles mortes protège les racines. Pour le bonsaï, il n'en est rien. Le système radiculaire de quelques centimètres d'épaisseur est le premier exposé en cas de gel et une coupe non protégée du froid est à la température ambiante extérieure. Non seulement la coupe peut éclater, mais les racines du bonsaï risquent de geler. Les pertes de bonsaïs dues au froid sont presque toujours causées par le gel des racines. Ce sont donc les racines qu'il faut protéger en

hiver. Certaines plantes sont très résistantes au froid, même au niveau des racines (orme, pommier, pin), d'autres périssent à partir de - 8° comme le cotoneaster.

3 modes de protection :

1) On enterre le bonsaï et sa coupe dans un coin de jardin, à l'abri du vent et du soleil et on recouvre la coupe de tourbe, de feuilles mortes, en laissant dépasser la partie aérienne du bonsaï. C'est le système le plus simple. Efficace s'il ne fait pas très froid. Le bonsaï profite par ailleurs d'un arrosage naturel par la pluie et de la protection de la neige. On peut perfectionner la chose en creusant une espèce de couche de 20 cm de profondeur, en y plaçant les plantes toujours dans de la tourbe. Cela permet par très grands froids de recouvrir le tout avec un chassis qu'il ne faut laisser que par temps froid. Une absence prolongée d'air risque de faire pourrir les plantes.

2) Pour ceux qui ne possèdent pas de jardin, il est conseillé de placer les plantes dans une loggia fermée au nord. Un bon moyen de protection consiste à se procurer une caisse d'emballage en polystyrène, à placer le bonsaï dans cette caisse que l'on remplit d'un mélange de sable et de tourbe. Mais attention, il faudra veiller à ce que la motte reste humide. Car repos de végétation ne veut pas dire dessèchement. La vie continue et les racines doivent être maintenues dans une terre légèrement humide. Veillez donc à un arrosage régulier tous les 10 jours par exemple, non excessif mais suffisant. Par grand froid, on peut recouvrir la plante d'une toile ou de laine de verre. Mais attention, ne pas utiliser de plastique étanche qui provoquerait une condensation de l'humidité avec absence d'air et un risque de pourriture de la plante. (Cette pourriture est due à un champignon, Botrytis cinerea).

3) L'hivernage sous abri.

L'idéal bien sûr est de pouvoir conserver ses bonsaïs sous abri.

Un abri n'est pas forcément une serre, et quand on a la chance de posséder une serre, encore faut-il qu'elle réponde à un certain nombre de conditions.

- Cela peut être une buanderie désaffectée claire où la température ne descend pas en dessous de 0 à - 5°. La buanderie est à conseiller par l'ambiance fraîche et souvent légèrement humide qui y règne.

- Cela peut être un sous-sol clair. Mais attention, éviter la proximité d'une chaufferie qui risque d'élever la température et surtout de dessécher l'atmosphère. Aérer fréquemment lorsqu'il ne gèle pas.

- Enfin une serre froide est un endroit idéal pour garder ses bonsaïs. Mais attention ! La température ne peut varier que de - 5° au plus bas pendant quelques heures à + 10° au plus haut. La serre doit avoir une exposition nord ou nord-ouest (une exposition sud verrait la température monter à 40°C dans la journée en pein hiver par beau temps, ce qui serait tout à fait catastrophique).

La serre doit être exposée au nord, si possible enterrée pour éviter les pertes de chaleur et les variations de température brutales. Il faut prévoir une aération pour renouveler l'air et éviter la condensation et un chauffage de secours lorsque la température risque de baisser trop fortement en dessous de 0°.

L'idéal est la serre adossée à un mur ou à une maison, reliée à celle-ci pour l'eau et l'électricité pour le chauffage (une résistance électrique posée sur la tablette et munie d'un thermostat est le meilleur système possible de chauffage antigel).

Comme couverture, l'utilisation du Polycarbonate en 8 mm ou 10 mm est judicieux. C'est un matériau isolant, clair, incassable et qui se travaille sans difficulté. Attention cependant à la condensation, et prévoir une bonne aération.

Notre avis

L'hivernage dure en général de 3 à 4 mois (mi-novembre à début mars). Il est indispensable d'hiverner ses bonsaïs dans de bonnes conditions de lumière (pas trop forte), de chaleur (de 0° à 5°), d'humidité (70 %) et d'aération.

L'hivernage demande un peu de travail. Il n'y a que très peu d'entretien mais beaucoup d'attention (éviter que le pain de racines sèche, faire très attention à la pourriture grise).

L'hivernage est d'autant plus nécessaire que le climat est plus rude et sans neige, car la neige en couche épaisse est une des meilleures protections pour les bonsaïs rustiques.

1

2

3

Hivernage d'un grand bonsaï

1. - *Une caisse en polystyrène que l'on remplit au 3/4 de tourbe. Veiller à ce qu'elle soit percée pour éviter un excès d'eau.*
2. - *Placer la plante dans sa caisse.*
3. - *Compléter le remplissage avec de la tourbe de façon à protéger complètement la coupe.*
4. - *Le bonsaï est prêt à hiverner. Attention à ne pas oublier d'arroser régulièrement la plante : ici un Cotoneaster Salicifolia persistant qui a besoin d'humidité tout l'hiver.*

4

❏ La fin de l'hivernage. La remise en place.

C'est toujours avec impatience que l'on guette le printemps pour pouvoir sortir ses bonsaïs au grand air.

Il faut rester prudent : sortir trop tôt ses bonsaïs, c'est parfois les exposer à un retour du froid et à une gelée tardive qui fait d'autant plus de mal que la plante n'y est pas préparée et que la sève a commencé à monter.

Mais les sortir trop tard, c'est risquer de les voir s'étioler et s'adapter ensuite avec difficulté aux conditions du milieu extérieur.

Donc bien choisir son moment qui dépend de l'endroit où l'on habite et des conditions de l'hiver. La végétation naturelle environnante est un bon repère ; elle doit être observée avec soin.

Il faut en profiter pour reprendre chaque bonsaï. Opérer les tailles nécessaires. Une taille de printemps est préférable. Elle permet de bien nettoyer la plante et d'éliminer les branches sèches ou cassées. Vérifier l'état des racines et la nécessité éventuelle d'un rempotage. En profiter pour nettoyer le dessus de la coupe et saupoudrer de poudre de corne la surface du sol. Prévoir un traitement préventif anticryptogamique et insecticide, pour limiter et retarder les premières attaques. Se réjouir enfin de vivre ce miracle toujours renouvelé de l'éclosion des bourgeons et des fleurs et du retour à la vie de vos bonsaïs.

1

2

3

Hivernage des petits bonsaïs

La même technique peut être appliquée aux petits bonsaïs que l'on regroupe dans un bac pour plus de facilité d'entretien.

1. *- Préparation du bac avec une couche de drainage de sable et tourbe sur la moitié de la profondeur du bac.*
2. *- On dispose les plantes dans le bac.*
3. *- On recouvre les coupes avec de la tourbe pour les isoler complètement.*
4. *- Les plantes sont régulièrement arrosées en hiver.*

4

ETIQUETAGE ET LIVRE DE BORD

Face à la vie du bonsaï, il y a deux attitudes possibles.

- L'**attitude poétique** qui consiste tout simplement à vivre avec son bonsaï, à l'observer, à vieillir avec. La mémoire aide à se souvenir des principaux événements de la vie de votre compagnon. Et puis les ans enfouiront petit à petit ces souvenirs dans l'oubli. Seuls restent, espérons-le, la présence silencieuse mais fidèle de votre bonsaï, votre attachement, votre affection et vos rêves liés à ces années de vie en commun.

- Mais il y a aussi l'**attitude scientifique** plus rigoureuse de celui qui se passionne pour le moindre détail de la vie de son compagnon et qui note régulièrement les principaux événements de son existence. Tel un livret de santé ou un album de photographies d'un enfant, tous les détails sont consignés dans un véritable livre de bord, ainsi son nom, l'origine de la plante, son âge, les différentes étapes de sa croissance, ses rempotages successifs, ses maladies ou attaques parasitaires, les périodes de taille, enfin tous ces mille détails qui font la vie du bonsaï. Ce journal peut d'ailleurs être illustré de photographies marquant les différentes étapes de la croissance, ses divers aspects tout au long de l'année.

On est assez vite contraint de noter les conditions climatologiques des saisons année après année, car leur influence sur le bonsaï est importante.

A moins d'avoir une collection absolument exceptionnelle, l'étiquetage n'est pas indispensable, mais un fichier par plante est dans ces conditions tout à fait nécessaire et facile à tenir. Quelle mine de renseignements pour vous-même, mais aussi pour vos amis !

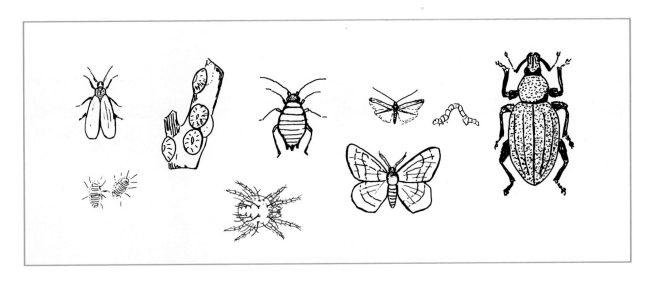

PARASITES ET MALADIES

Comme tout être vivant, le bonsaï peut souffrir de pathologies diverses que l'on classe en trois groupes :
- Les parasites animaux (insectes, acariens, pucerons).
- Les maladies (cryptogamiques, bactériennes ou virales).
- Les maladies physiologiques, où la plante souffre d'un déséquilibre alimentaire (excès ou manque d'eau, excès ou carence d'un ou plusieurs éléments minéraux) ou lumineux.

Dans la nature, la plante lutte par ses propres moyens, mais parfois le parasite entraîne la mort du végétal, ce qui dans un certain sens contribue à la sélection naturelle. Cette résistance naturelle aux parasites permet à la plante de survivre dans un milieu bien précis, où le parasite ne peut se développer pour diverses raisons (conditions climatiques, voisinage d'autres plantes répulsives pour les parasites). Dans la nature également, tout parasite a son prédateur, c'est-à-dire le parasite du parasite (par exemple la coccinelle qui se nourrit de pucerons).

Cet ensemble d'équilibres très complexes où chacun vit dans ses propres limites et où toute épidémie est naturellement enrayée par une défense individuelle est rompu par l'homme, dès lors qu'il sélectionne les plantes pour son usage et qu'il crée d'immenses populations d'une seule espèce et d'une variété (ce qui est le cas d'un champ de blé ou d'un verger). Plus grave encore est le transport de plantes d'un continent à un autre, ou même simplement de fruits ou de marchandises. Le parasite accompagne toujours son hôte et, trouvant souvent d'excellentes conditions naturelles pour son développement dans le pays d'accueil sans prédateur naturel, se développe à toute allure et cause de véritables ravages. Cela a été le cas du doryphore pour la pomme de terre, c'est actuellement le cas du "Feu bactérien des Rosacées" qui vient des Etats-Unis via la Hollande et menace nos cultures fruitières d'Europe.

On n'est donc jamais trop prudent, ni trop attentif, même pour de simples bonsaïs, car l'équilibre naturel n'étant plus respecté, il est nécessaire d'observer avec soin ses pensionnaires, de faire les diagnostics de la pathologie à temps et d'appliquer le juste remède quand c'est nécessaire.

Nous commençons par parler des maladies physiologiques car il est certain qu'une plante en bonne santé présente une immunité naturelle certaine et se défend mieux contre un parasite ou une maladie qu'une plante affaiblie par manque de nutrition, par un déséquilibre alimentaire ou encore par de mauvaises conditions de milieu.

LES MALADIES PHYSIOLOGIQUES

Il n'y a pas d'agent extérieur pathogène (insecte ou maladie) qui parasite la plante, mais une ou plusieurs causes physiques ou chimiques à l'origine d'un trouble physiologique de la plante (mauvaise croissance, flétrissement ou décoloration du feuillage).

Les excès d'eau

C'est la cause la plus fréquente du dépérissement d'une plante en pot.

Une longue période de pluie, un excès d'arrosage, une humidité du sol trop grande (trou de dainage bouché par exemple), un sol trop compact peuvent causer la mort de la plante par asphyxie de racines. Les premiers symptômes se traduisent par le jaunissement des feuilles les plus anciennes. Croyant à un manque d'eau, on arrose copieusement accentuant le phénomène qui ne tarde pas à entraîner la mort de la plante. Celle-ci jaunit complètement et ses racines pourrissent. Un arrosage excessif même temporaire peut être la cause de ce dépérissement. Et l'affaiblissement de la plante est la porte ouverte à bien des maladies ou à des parasites.

Manque d'eau

La sécheresse chronique a dans un premier temps des effets analogues qui se manifestent par un jaunissement des feuilles (une partie des racines ayant desséché). Si l'arrosage est repris à temps la plante refait son système radiculaire et s'en remet. Par contre, si le manque d'eau persiste, la plante atteint le stade de flétrissement temporaire (les feuilles sont molles et pendent), puis le stade de flétrissement permanent : la plante meurt de soif, il n'y a plus rien à faire.

Les carences et les excès en éléments minéraux

- Les carences ou manques de certains éléments minéraux entraînent des déséquilibres de l'alimentation de la plante et se traduisent par des accidents végétatifs caractéristiques. Le faible volume de terre du bonsaï expose celui-ci à des carences certaines, si on n'apporte pas à la plante un engrais adéquat.

- Carence en fer. C'est la plus caractéristique car elle empêche la formation de la chlorophylle. La feuille jaunit à l'exception des nervures qui restent

Chlorose ferrique.

vertes. La croissance est arrêtée et par grand soleil, la plante grille.

Faire un apport de fer sous forme de chelate de fer (séquestrène). En quelques jours, la plante reprend sa couleur verte.

- Les carences en Azote (N), Acide phosphorique (P) et Potasse (K) sont en général caractérisées par un feuillage clair ayant tendance à jaunir, notamment sur les bords de la feuille.

Seule une alimentation complète et équilibrée permet de maintenir la plante en bon état (voir chapitre fertilisation). Un bon engrais doit contenir les 3 éléments de base N. P. K. sous une forme équilibrée, mais également des oligoéléments à dose très faible (magnésium, manganèse, bore, etc.).

- Les excès de certains éléments minéraux. Une mauvaise croissance, le jaunissement, peuvent aussi être dus à l'excès de certains éléments minéraux, notamment du calcaire qui élève le pH et bloque la fixation du fer.

Pour éviter ce phénomène, bien choisir son mélange de terre en fonction des besoins spécifiques de chaque plante.

Les excès d'engrais peuvent avoir des effets identiques à une brûlure de la plante. Cela se traduit par un flétrissement rapide et souvent définitif si on n'intervient pas rapidement pour lessiver la terre par trempage.

Excès de soleil, excès d'ombre

Le soleil surtout par temps très chaud, peut causer de véritables brûlures aux plantes et particulièrement aux plantes à feuilles larges ; celles-ci se décolorent, jaunissent, brunissent et finissent par griller complètement ou par avoir des taches brûlées.

Il faut également faire très attention lorsqu'on sort une plante à l'extérieur après un séjour prolongé à l'ombre ou en serre. Il faut l'habituer progressivement au soleil et non pas l'y exposer brutalement. Une brûlure de soleil est sans remède (photo ci-dessous).

De même, certaines plantes qui demandent à vivre en plein soleil, s'étiolent à l'ombre, s'allongent anormalement et perdent leur vigueur.

Il faut bien respecter les expositions propres à chaque espèce et ne pas exposer brutalement une plante en plein soleil. L'ombrière à 50% est idéale, voire nécessaire pour les bonsaïs en plein été sous le climat de la France, en particulier du Midi et de l'Est de notre pays.

LES PARASITES ANIMAUX

- Les **pucerons**

Les pucerons sont certainement les insectes les plus connus. Ils se manifestent d'abord en isolé sous forme ailée, ce qui leur permet de se déplacer d'une plante à l'autre, puis forment des colonies

nombreuses, les insectes se multipliant sous forme aptère (sans aile). Ils s'installent de préférence aux extrémités tendres des tiges où ils sucent la sève des plantes, provoquant un affaiblissement et des déformations des tiges et des feuilles. Mais on peut en trouver sur les troncs où ils sont moins apparents.

Dans le jardin, plus rarement dans la maison, les pucerons sont accompagnés de **fourmis** qui ne sont pas des parasites de la plante à proprement parler, mais qui vivent aux dépens des pucerons en suçant leur miellat (ou excrétion sucrée qu'ils produisent) et en favorisant la multiplication des colonies et des insectes sur la plante. La présence de fourmis est le signe d'une attaque de pucerons.

Les pucerons sont également dangereux pour la plante parce qu'ils transportent souvent des maladies (à virus ou bactériennes) qu'ils transmettent à la plante par piqûre.

- Les pucerons les plus connus sont les pucerons verts que l'on trouve pratiquement sur toutes les plantes.

- Les pucerons noirs, plus petits, souvent à l'envers des feuilles sont plus rares mais plus dangereux, parce que moins visibles et souvent vecteurs de maladies.

- Enfin certains pucerons ont un aspect floconneux. On en trouve sur le pommier en particulier, sur les épicéas et les mélèzes, mais souvent aussi sur les racines de certaines plantes où ils vivent en véritables colonies souterraines que l'on ne peut repérer a priori mais qui sont tout aussi dangereuses (puceron lanigère).

- Moyens de lutte.

Les pucerons se combattent assez facilement avec des insecticides habituels, en bombe ou en pulvérisation, mais l'utilisation d'insecticides systémiques est plus efficace.

- Les **araignées rouges**

Dans l'ordre, l'araignée rouge est après les pucerons un des parasites les plus répandus et communs. Ce sont de minuscules araignées qui vivent en colonies très nombreuses, à l'envers des feuilles et sur les tiges jeunes. Elles vident littéralement les cellules de leur contenu et la plante prend un aspect gris plombé. Les araignées rouges se multiplient par temps très chaud et sec et craignent l'humidité. Elles ne sont d'ailleurs rouges souvent que de nom ; elles tissent de fines toiles, peu visibles à l'œil nu et leurs dégâts ne sont parfois visibles que lorsqu'ils sont déjà importants.

Dégâts d'araignées rouges sur lierre.

Cochenille-farineuse.

Le moyen préventif de lutte est de pulvériser souvent le feuillage et de maintenir une ambiance humide autour de la plante.

Lorsqu'une attaque se déclare, un insecticide classique est inefficace, les araignées n'étant pas des insectes, mais des acariens. Prendre un acaricide (type Plictran) ou un produit mixte, insecticide + acaricide. Refaire le traitement plusieurs fois, car les générations se reforment très vite à partir de quelques adultes.

- Les **cochenilles**

Les cochenilles sont le troisième fléau des plantes en pot et en culture. Ce sont des insectes qui se déplacent peu et qui vivent sous de véritables carapaces (comme des tortues) collés aux feuilles et surtout au tronc des arbres. Elles sont très caractéristiques bien qu'elles puissent avoir des formes très variables. Cochenilles-virgules (1-2 mm), cochenilles-bouclier (5 mm), cochenilles-farineuses très redoutables car elles envahissent un jardin très rapidement et sont difficiles à combattre : elles se collent au départ des branches ou à l'insertion des feuilles sur la tige.

Le traitement des cochenilles est difficile. A l'abri sous sa carapace cireuse donc étanche, elle est insensible aux traitements habituels. Les produits systémiques sont protecteurs, mais il faut toujours les accompagner, en cas d'attaque, d'un produit spécifique anticochenille. C'est un insecticide huileux qui forme un film toxique et étouffe littéralement la cochenille sous son bouclier. Répéter le traitement à 15 jours d'intervalle.

Il faut noter d'ailleurs que la cochenille produit un miellat qui attire les fourmis et sur lequel se développe un champignon microscopique noir (qui porte de ce fait le nom de fumagine) qui noircit complètement la plante comme de la suie.

- Autres insectes nuisibles

Les **aleurodes** ou mouches blanches méritent une mention, car leurs attaques, même si elles sont assez rares, sont très difficiles à enrayer. Ce sont de petites mouches blanches beaucoup plus petites qu'un puceron qui se fixent en colonies importantes sous les feuilles (elles affectionnent particulièrement les fuchsias). Au moindre mouvement, elles volent en nuage autour de la plante. Les systémiques permettent de lutter préventivement, mais lors d'une forte attaque, il faut traiter les plantes par pulvérisation sous le feuillage où se situent les larves.

Aleurode adulte (en blanc) et sa larve grisâtre.

Cochenille-bouclier sur tige.

Les **otiorrhynques** sont de gros charançons gris-noir munis d'un rostre et qui rongent le pourtour des feuilles la nuit, en faisant des découpes arrondies caractéristiques. Leurs larves se développent dans le sol. Ce sont de petits "vers blancs", identiques à une larve de hanneton et qui s'attaquent aux racines des plantes en en rongeant l'écorce. Lorsque la plante flétrit, c'est déjà trop tard. Il n'y a plus rien à faire. Rares en ville, les otiorrhynques sont de plus en plus fréquents dans les jardins où ils font d'énormes ravages. Les bonsaïs ne sont pas épargnés et il faut prendre des précautions dès que l'on diagnostique une attaque sur le feuillage. Les insecticides à base de lindane sont assez efficaces.

Différentes sortes de **chenilles**, correspondant à différentes sortes d'insectes, attaquent le feuillage. Elles sont rarement en colonie importante et on peut s'en débarrasser en les supprimant à la main. Les pins sont ainsi très souvent attaqués par une chenille qui ronge les aiguilles et s'entoure de ses déjections. Les traitements insecticides permettent de s'en protéger facilement.

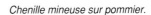

Dégât de chenilles sur pin.

Dégât d'Otiorrhynque adulte sur feuille.

Chenille mineuse sur pommier.

Larves d'Otiorrhynque, grandeur nature.

LES MALADIES

- Les **maladies cryptogamiques** sont dues à des champignons microscopiques qui s'installent dans les tissus de la plante et finissent par faire périr la plante.

- L'**oidium** ou "blanc" se développe sur les plantes fréquemment arrosées et maintenues dans une ambiance humide et confinée. Il se présente sous forme d'un dépôt blanchâtre et farineux sur les feuilles qui se recroquevillent et finissent par dessécher et tomber. Fréquent sur le pommier on le traite facilement, préventivement et curativement avec un produit systémique.

Taches de rouille sur Géranium.

Blanc ou oidium sur feuilles.

La fumagine est un champignon qui se développe sur les excrétions sucrées des pucerons et des cochenilles. C'est un effet secondaire d'une attaque parasitaire. Il ne met pas en cause directement la plante, mais l'étouffe littéralement sous une couche visqueuse et noirâtre. Il faut traiter la cause, c'est-à-dire le parasite avec un insecticide et bien nettoyer la plante.

Fumagine sur lierre.

- **Rouille**, **mildiou** et **tavelure** sont beaucoup moins fréquents. Ces maladies se traduisent par des taches rouilles, grisâtres ou noirâtres sur les feuilles. Traiter dès les premières attaques avec un fongicide de synthèse.

- **Maladies bactériennes et virales**. Rares mais incurables, ces maladies se développent à la faveur de mauvaises conditions de soin, d'excès d'eau ou suite à une forte attaque de pucerons. Un bon état de santé des plantes est le meilleur moyen d'éviter une attaque de cette nature. Le diagnostic est difficile à faire et il vaut mieux consulter un spécialiste.

En cas de contamination reconnue, ne pas hésiter à supprimer les plantes atteintes qui risquent de contaminer les autres végétaux. De toute façon, elles sont condamnées.

LA PHYTOPHARMACIE

Evoquer les parasites ou les maladies, c'est aussi parler des moyens de lutte contre les ennemis des plantes et des produits à utiliser.

On peut en effet difficilement compter sur une lutte biologique naturelle. Il vaut mieux agir, d'autant plus qu'en général il faut le faire vite pour enrayer l'extension de la maladie ou du parasite.

Mode d'action des produits.

On utilise deux types de produits.

A) **Les produits dits de contact** qui agissent directement par contact avec le parasite ou la maladie, ou par ingestion par le parasite.

Les traitements peuvent se pratiquer de 3 façons :

- Par **poudrage**, ce que nous déconseillons. C'est peu efficace, il y a beaucoup de perte et surtout cela fait une énorme poussière.

- Par b**ombe insecticide** ou "Total" (insecticide et maladie conjugués). C'est un recours pratique mais qui peut causer un choc à la plante par le froid dû à la détente du gaz au moment du traitement.

- Par **pulvérisation** du produit mis en solution dans de l'eau. C'est le procédé le plus efficace. Il nécessite un petit vaporisateur à main (qui sert aussi pour humidifier l'atmosphère). Cela permet de bien appliquer le produit sur toute la plante et en particulier sur les parties cachées par les feuilles où se tiennent souvent les parasites.

B) **Les produits systémiques** ; ce sont des produits qui sont absorbés par la plante soit par les feuilles, soit par les racines et qui sont ensuite véhiculés par la sève qui devient toxique pour l'insecte ou pour la maladie.

Ces produits peuvent être appliqués soit en **pulvérisation** sur le feuillage (absorption par la feuille), soit en **granulés** mélangés à la terre ou répandus à la surface de la terre (le produit actif est absorbé par la racine).

Notre avis

Entre les deux types de produits, nous optons sans hésiter pour les produits systémiques qui protègent la plante pendant 10 à 15 jours dans ses parties les plus cachées, un produit de contact pouvant très rapidement être "lavé" par les arrosages fréquents et abondants en été. La protection est interne avec un produit systémique que l'on choisit de préférence mixte pour un traitement préventif ou spécifique s'il s'agit d'une attaque importante d'un parasite précis.

En ce qui concerne les produits, demandez conseil à un vrai spécialiste qui connaît et utilise lui-même les produits en question. Mais respectez toujours les doses prescrites. Et faites attention, ce sont des produits chimiques de synthèse et ils sont aussi toxiques pour l'homme que pour l'entourage. Prenez donc des précautions dans leur utilisation et ne les laissez pas traîner n'importe où. Faites vos traitements à l'extérieur de la maison, sur un balcon ou au jardin. N'en abusez pas et n'oubliez pas que la santé de la plante est la première prévention contre toute attaque parasitaire.

TABLEAU DES PRODUITS DE TRAITEMENTS

Destination	Mode d'application	Produit de base	Nom du produit
Pucerons et insectes divers ●	Pulvérisation Granulé sur ou dans le sol	Diazinon Disulfoton	Fisons (Mouche du poireau) Sovilo. Disyston (Bayer) Tertion G (Umupro).
Aleurodes, pucerons, insectes divers ●	Pulvérisation	Cypermethrine	Quomadin (Bayer).
Pucerons et araignées rouges ●	Pulvérisation		Phytocur (Bayer) Pyomix.
Cochenille	Pulvérisation	Huiles blanches Parathion	Anticochenille. Oléobladan (Bayer).
Araignées rouges ●	Pulvérisation	Plictran-Dicofol	Umupro-Fisons.
Maladies et insectes ●	Bombe Pulvérisation	Certan Diazinon	Traitements insectes et maladies (Bayer). Liquide Total (Sovilo).
Blanc du rosier ●	Pulvérisation	Triadimefon	Bayleton (Bayer).
Pourriture, taches noires, rouille	Pulvérisation	Mancozèbe	Dithane M 45 (Gesal).
Maladie des conifères ●	Arrosage	Sels d'aluminium	Aliette (KB - Umupro).

● Produit systémique.

CHOIX D'UNE PLANTE

A BONSAÏ

Grenadier nain, 6-7 ans (Punica granatum nana).

Bien que favorisé par un climat océanique, humide, à hivers doux, facilitant la culture du bonsaï, sa croissance, son hivernage, le Japonais ne recherche pas pour faire son bonsaï l'espèce botanique rare ou tropicale. Il se contente de prélever dans la nature les essences courantes qu'il y rencontre telles le Pin *(P. pentaphylla* et *P. nigra Thunbergïï),* le Genévrier *(J. rigida* et *J. Chinensis),* l'Erable *(A. palmatum* et *A. trifidum),* le Cryptomeria, l'Azalée. Il attache surtout une grande importance à la forme de l'arbre. Pour lui le goût du bonsaï ne relève pas de la botanique mais de l'horticulture, de l'art et de la philosophie ; la plante, élément vivant, entre dans une composition au même titre que le bois, le minéral ou l'eau.

Pour nous Européens, le choix botanique de l'espèce est important, et il n'y a en fait pas de limite dans notre recherche. Toutes les plantes ou presque peuvent se traiter en bonsaï.

Il est donc tout à fait impossible de donner ici une liste exhaustive des végétaux susceptibles de devenir un bonsaï.

Le choix a été fait en fonction de deux critères :
- l'intérêt de la plante au point de vue du travail en bonsaï, tant sur le plan cultural qu'esthétique. La plupart des espèces japonaises sont citées
- la facilité de se procurer telle ou telle espèce parmi les plus courantes traitées habituellement en bonsaï.

Certains arbres de nos régions ne sont volontairement pas pris en compte, soit parce qu'ils vieillissent difficilement (c'est le cas du chêne), soit parce que leur conduite en bonsaï n'est pas facile et sans grand intérêt esthétique (marronnier, saule, tilleul).

Mais que l'amateur n'hésite pas à faire un bonsaï avec un petit arbre dont il serait tombé amoureux et qu'il aurait trouvé dans la nature ou dans un jardin.

Le choix des plantes n'est donc absolument pas limitatif et tel arbuste à fleurs non cité peut très bien devenir un ravissant bonsaï.

Plus, certaines plantes qui ne sont pas des arbres se prêtent très bien à la confection de bonsaï. Ce sont alors des "pseudo-bonsaïs" qui ne manquent souvent pas de charme. Il ne s'agit plus de bonsaï, au sens ethymologique du terme, mais qu'importe. Certaines succulentes (plantes grasses) peuvent devenir des bonsaïs d'autant plus faciles à travailler que leur sobriété les prédispose naturellement à se contenter de peu de terre ou de peu d'eau.

Citons enfin les plantes herbacées, et en particulier les plantes alpines, habituées à des conditions de vie très rudes, aux formes extraordinaires et qui peuvent s'associer à nos petits arbres en sous-bois ou en paysages évocateurs.

Les plantes à bonsaï ont été classées en 3 groupes :
- les plantes et conifères de nos climats,
- les plantes méditerranéennes,
- les plantes d'origine tropicale.

Note sur la présentation des plantes

Il n'est pas possible de faire une monographie détaillée pour chaque plante et seuls sont indiqués les principaux caractères, les exigences et les soins à apporter à chaque espèce. Il est important de se reporter à la partie générale pour plus de détails sur tel ou tel point.

Petite forêt d'Erables de Bürger. Age des arbres : 4-5 ans. Plantation de 2 ans.

LES PLANTES A FEUILLAGE
DE NOS CLIMATS

On distingue deux sortes de plantes :
- les arbres et arbustes à feuilles caduques,
- les arbres et arbustes à feuilles persistantes.

Les premiers sont nettement moins sensibles au froid que les seconds qui, restant en état de végétation en hiver, doivent être abrités.

C'est un groupe de plantes très riche qui constitue la base des collections de plantes à bonsaï. On peut noter à ce propos qu'un grand nombre de ces plantes sont originaires d'Asie, de Chine ou du Japon et ce n'est sans doute pas par hasard.

Ce sont des plantes rustiques en pleine terre et qui ne craignent pas le froid.

C'est uniquement dans ce type de plantes que les Japonais choisissent leur bonsaï.

Mais, répétons-le, il faut prendre des précautions pour leur hivernage, car c'est au niveau de la racine que toutes ces plantes sont sensibles au froid.

ACER palmatum (Aceracées)
Erable du Japon

Description et caractères

C'est l'arbre-symbole du Japon par excellence. Son feuillage fin lui confère une élégance particulière ; il devient éclatant à l'automne, lorsque ses feuilles rougissent.

Exigences

Situation : il supporte mal le plein soleil et demande une exposition mi-ombragée à l'abri du vent.

Sol : si le type supporte un sol moyennement acide (pH < 7), les variétés greffées *(A. palmatum atropurpureum, A. p. atropurpureum dissectum, A. p. dissectum viridis)* veulent un sol franchement acide (pH 5,5 à 5,8).

Soins de culture

Rempotage : tous les ans pour les jeunes sujets en mars. Tous les 3 ans pour les sujets âgés.

Taille : doit suivre ou précéder le rempotage en février-mars.

Pincement : après la pousse des tiges sur 1 à 2 yeux. A noter que le développement des bourgeons est un peu capricieux.

Arrosage et pulvérisation : très régulier en été car l'Erable du Japon est très sensible à la sécheresse de l'air ou du sol.

Fumure - organique : saupoudrer un peu de corne en poudre sur la motte au mois d'avril.

      - minérale : de mai à août, une fois par quinzaine.

Parasites et maladies : l'érable est peu sujet aux maladies et aux parasites. Parfois un peu de pucerons et de cochenilles farineuses, très difficiles à combattre cependant.

Les variétés de l'Acer palmatum

L'*Acer palmatum* est le type le plus fréquent, ses variétés sont très recherchées, bien qu'un peu plus fragiles de culture et à feuilles plus grandes.

On note :

- *A. p. atropurpureum* au feuillage rouge foncé dès le printemps. Il craint les expositions ensoleillées.

- *A. p. atropurpureum dissectum* qui est une sous-variété du précédent au feuillage rouge finement découpé.

- *A. p. dissectum viridis,* qui ressemble au précédent mais avec un feuillage vert très découpé.

Notre avis : *Pour le débutant, commencer avec l'*Acer palmatum *type qui ne coûte pas cher, n'est pas trop exigeant du point de vue sol et exposition. Il présente en pot une certaine fragilité ; le dessèchement des feuilles ou des pointes de feuilles est fréquent.*

Forêt d'Erables du Japon. Age des arbres : 3-4 ans. Plantation de 1 an.

Acer palmatum dissectum viridis (7-8 ans).

ACER trifidum ou A. buergerianum
(Aceracées)
Erable de Bürger = Erable trident

Description et caractères
C'est un érable à feuilles naturellement petites, tri-fides, très intéressant par son port, sa croissance très rapide et sa très grande facilité de culture. L'extrémité rougeâtre de ses rameaux contraste avec le vert tendre des feuilles ; sa teinte d'automne est cependant moins éclatante que l'*A. palmatum*.

Exigences
Situation : il supporte parfaitement toutes les expositions, même très ensoleillées.
Sol : indifférent, mais légèrement acide.

Soins de culture
Rempotage : tous les 2 à 3 ans en février-mars.
Taille : février-mars. Tailler court pour lui assurer une forme correcte.
Pincement : sa croissance rapide oblige à un pincement fréquent sur 2 yeux (3 à 4 pincements au cours de l'été). Cela permet d'obtenir rapidement de très jolis petits arbres bien touffus.
Arrosage et pulvérisation : normal. Un léger flétrissement des feuilles n'est pas irrémédiable comme pour l'*Acer palmatum* qui dessèche très vite.
Fumure - organique : poudre de corne sur le pot au printemps.
　　　　　　 - minérale : de mai à août une fois par quinzaine avec un engrais soluble.
Parasites et maladies : le puceron est le parasite le plus fréquent sur les jeunes pousses.

Autres espèces d'érable
Différentes espèces d'érable peuvent être conseillées à l'amateur, qui peut même en trouver dans la nature.
Les exigences et conditions de culture de toutes ces espèces se rapprochent de l'Erable de Bürger.
Notons :
- L'*Acer ginnala* à la très bonne croissance et aux splendides couleurs d'automne.
- L'*Acer Monspessulanum* ou Erable de Montpellier.
- L'*Acer campestre* ou Erable champêtre.
La liste des érables est importante et non limitative.

> **Notre avis :** C'est le **meilleur érable** pour la culture en bonsaï. Par ailleurs il permet de constituer de **très jolies forêts** en peu de temps. A conseiller vivement, son prix le mettant à la portée de toutes les bourses.

Erable de Bürger en culture (3-4 ans).

Forêt d'Erables de Bürger (3-4 ans).

ALNUS imperialis (Bétulacées)
Aulne impérial

Description et caractères

C'est un arbre rare, peu connu, mais qui se prête très bien à la formation en bonsaï. Son feuillage très découpé est très élégant et son port naturel et tourmenté en fait un arbre de choix sans difficulté de culture.

Exigences

Situation : il supporte bien une exposition ensoleillée.

Sol : parfaitement indifférent.

Soins de culture

Se traite exactement comme l'Erable de Bürger.

Notre avis : *C'est un arbre facile, mais rare, difficile à trouver et assez cher même en jeune plant. C'est dommage. A conseiller aux collectionneurs.*

Aulne impérial (3-4 ans).

AMELANCHIER Canadensis (Rosacées)
Amélanchier du Canada

Description et caractères

Petit arbuste peu courant, mais facile à conserver. Les feuilles rondes, glauques ont une jolie couleur rougeâtre au printemps mais gagnent encore en éclat à l'automne en devenant orange. Sa floraison printanière lui donne un intérêt.

Exigences

Situation : ensoleillée.

Sol : préfère les sols neutres (pH = 7) ou légèrement calcaire.

Soins de culture

Rempotage : tous les 3 à 4 ans.

Taille et pincement : en hiver mais porter une attention particulière aux pincements d'été en juillet et septembre, période où il est nécessaire de pincer assez court.

Arrosage : normal.

Fumure : ne pas exagérer la fertilisation qui favorise la pousse trop rapide des tiges.

Parasites et maladies : attention aux pucerons.

Notre avis : *Plante un peu particulière que nous ne conseillons pas aux débutants.*

AZALEA Japonica (Ericacées)
Azalée du Japon

Description et caractères

Typiquement japonaise, cette plante à feuillage persistant vaut surtout par sa floraison printanière. Les fleurs sont simples de couleurs blanches à pourpres en passant par le violet et sont groupées en bouquet.

Exigences

Situation : l'Azalée étant très sensible au dessèchement, elle demande une exposition à l'abri du vent. Elle supporte assez bien le soleil, mais il y a toujours le risque de dessiccation.

Sol : l'Azalée est une plante de terre de bruyère (pH 5 à 5,5). La moindre trace de calcaire déclenche une chlorose.

Azalée du Japon en fleurs (20 ans).

Soins de culture

Rempotage : tous les 2 à 3 ans. Les racines étant très fines et la terre de bruyère très desséchante, prendre des précautions particulières. On rempotera après la floraison en supprimant les fleurs fanées.

Taille : s'effectue à l'automne, sur bois bien aoûté.

Arrosage : fréquent à l'eau douce. Ne pas oublier de pulvériser de l'eau sur le feuillage.

Fumure - organique : un peu de corne sur le pot au printemps.

　　　　　　- minérale : engrais à partir de la floraison et jusqu'en août tous les 15 jours. Arrêter par la suite pour favoriser la formation des boutons à fleurs.

Parasites et maladies : l'Azalée est assez peu sensible aux parasites, toutefois attention aux pucerons et à la cochenille.

Notre avis : *Choisir des variétés à petites feuilles et à petites fleurs qui se prêtent mieux à la miniaturisation. L'Azalée se prête très bien à la culture rupestre, mais elle est très difficile à installer sur un rocher du fait de ses racines très fines.*

Attention : Ne pas confondre l'Azalée japonaise rustique avec l'Azalée "indica" que l'on trouve chez les fleuristes pour Noël notamment, laquelle n'est pas rustique et est à fleurs plus grandes.

RHODODENDRON nain, très voisin de l'Azalée et se traitant de la même façon ; citons les Rhododendrons à petites feuilles (Ex. : *Rhododendron microleucum*).

Rhododendron microleucum (7-8 ans).

BAMBOU (Graminées)

Description et caractères

Qui ne connaît le bambou ? Associé aux estampes japonaises, il fait partie de la vie de ce pays. Mais est-ce réellement un bonsaï au sens du petit arbre ? Non sans doute. Il a d'ailleurs pour particularité d'avoir une tige qui a sa grosseur définitive dès le départ.

Exigences

Situation : il craint avant tout le vent et le dessèchement ; lui éviter les expositions trop ensoleillées ou très exposées au vent.

Sol : le Bambou n'aime pas les terrains calcaires, mais une terre argileuse, fraîche lui convient bien.

Soins de culture

Rempotage : tous les ans avant le départ de la végétation.

Taille : il n'y a pas de taille à proprement parler, mais un nettoyage des feuilles jaunes et des tiges qui sèchent.

Arrosage et bassinage : fréquents. Ne pas laisser le sol dessécher.

Fumure minérale : deux fois par mois en cours de végétation de mai à septembre.

Parasites et maladies : il n'y a pratiquement pas de parasites sur le Bambou. Il faut cependant se méfier des pucerons sur les jeunes pousses.

Sasa pumila, le plus nain des bambous (10 cm environ).

Notre avis : *Disons-le, c'est une plante difficile et ingrate, d'abord parce que le Bambou ne vieillit pas (ce n'est pas un arbre, mais une graminée), ensuite parce qu'il a des exigences assez grandes au point de vue du volume de terre et qu'il ne se contente pas d'une coupe trop petite. Seules les variétés naines peuvent être essayées. Mais il faut s'attendre à des difficultés et à des résultats décevants. Notons un classique du genre :* Bambusa ventricosa.

Bouleau nain (5-6 ans).

Bouleau blanc, Betula alba (4-5 ans) issu d'un prélèvement naturel sur rocher, en culture depuis 2 ans.

BETULA (Bétulacées)
Bouleau

Description et caractères

Tout le monde connaît le bouleau au tronc blanc de nos forêts et l'on trouve dans la nature sur des parois rocheuses de merveilleux spécimens prêts à être mis en coupe. Le bouleau a malheureusement un inconvénient, il ne vieillit pas et ne dépasse guère une dizaine d'années en pot. Il supporte par ailleurs très mal la taille.

Exigences

Situation : il aime le soleil (on le voit parfois pousser sur les vieux murs) mais craint le dessèchement prolongé.

Sol : le bouleau est peu exigeant sur la nature du sol, mais il préfère les sols acides et frais.

Soins de culture

Rempotage : tous les 2-3 ans avant le démarrage de la végétation.

Taille : éviter de tailler le bouleau qui le supporte très mal et cicatrise difficilement.

Pincement : le former par pincement en cours de végétation.

Arrosage et pulvérisation : éviter le dessèchement et pulvériser copieusement.

Fumure - organique : corne au printemps sur la terre.

- minérale : de mai à août, une fois par quinzaine.

Parasites et maladies : pucerons fréquents sur jeunes pousses.

Variétés

Le bouleau présente de nombreuses variétés. En dehors du Bouleau blanc que l'on peut trouver dans la nature souvent déjà bien formé (le prélèvement est parfois difficile du fait de ses longues racines traçantes) on peut citer le Bouleau noir *(Betula nigra),* mais surtout le Bouleau nain *(Betula nana)* à petites feuilles découpées et qui se prête parfaitement à la formation en bonsaï. Le bouleau supporte très bien le froid.

> **Notre avis :** *Le bouleau est un arbre très rustique et très facile de culture, que l'on peut trouver à peu près partout. Son prélèvement ne cause pas de difficulté, mais il est impératif de le faire en repos complet de végétation. Nous le conseillons à tous les débutants, tant comme exercice de prélèvement que de culture et de formation. Dommage qu'il ne vieillisse pas.*

BUXUS suffruticosa (Buxacées)
Buis

Description et caractères
C'est un classique de tous les jardins français. Ses petites feuilles rondes persistantes et sa croissance très lente en font une plante de choix pour le bonsaï, car il prend très vite la forme d'un petit arbre. Sa floraison est insignifiante.

Petit buis (3-4 ans) avant sa formation en bonsaï.

Exigences
Situation : il supporte les situations très ensoleillées, mais il faut faire attention car lorsqu'il dessèche, il est souvent trop tard pour le reprendre.

Sol : c'est une plante de terre franchement calcaire, mais qui supporte tous les types de sol.

Soins de culture
Rempotage : au mois de mars, tous les 2 ans.

Taille : avant le démarrage de la végétation.

Pincement : en cours de végétation, pincer les jeunes rameaux suivant la longueur désirée.

Arrosage et bassinage : maintenir régulièrement humide.

Fumure - organique : corne au printemps sur la terre.

      - minérale : engrais tous les 15 jours en période de végétation jusqu'en septembre.

Parasites et maladies : le buis est malheureusement très sensible aux pucerons, araignées rouges et thrips. Traiter préventivement avec un systémique car lorsque les feuilles sont mouchetées, il est trop tard et la plante ne reprend pas un aspect normal et sain.

> **Notre avis :** *Intéressant par son port et par son prix d'achat ; il est cependant un peu sensible aux parasites. Ne pas confondre avec* Buxus Japonica microphylla, *rare et souvent considéré comme bonsaï d'intérieur.*

CARPINUS betulus (Bétulacées)
Charme commun

Description et caractères
C'est le charme de nos forêts à fines ramures grises, aux feuilles allongées, gaufrées et aux pousses rougeâtres. Son caractère commun ne doit pas pour autant nous le faire éviter. Car il se travaille très facilement et n'est pas du tout exigeant.

Exigences
Situation : absolument indifférente car il supporte bien le soleil et la sécheresse.

Sol : indifférent mais préfère et supporte très bien les sols calcaires (pH > 6 à 7).

Soins de culture
Rempotage : en février, avant le démarrage de la végétation. Tous les 2 à 3 ans avec un terreau bonsaï.

Charme (7-8 ans). La mise en coupe date de 2 ans et la formation est bien amorcée.

Taille : au courant de l'hiver au moment du rempotage. En profiter pour le ligaturer si besoin est.

Pincement : très fréquents à 2 yeux pendant la période de végétation. Il pousse assez vite, mais se travaille bien.

Arrosage : normal et sans excès. Le charme supporte un petit coup de sécheresse et peut se remettre d'un léger flétrissement. On peut le pulvériser, mais ce n'est pas une obligation.

Fumure - organique : corne au printemps sur la terre.

       - minérale : en période de végétation de mai à septembre tous les 15 jours.

Parasites et maladies : se méfier des pucerons sur les jeunes pousses.

Notre avis : *Le charme est une plante très intéressante pour s'entraîner à travailler le bonsaï. On peut s'en procurer de très beaux et pas cher en pépinière, on peut aussi en trouver dans la nature où il pousse en sous-bois de manière très drüe, et faire de très jolies forêts à moindre frais.*

CELTIS Australis (Celtidacées-Vernacées)
Micocoulier

Assez rare, nous le mentionnons pour mémoire. Se traite un peu comme le noisetier.

Micocoulier (4-5 ans) au bois frêle et à croissance lente.

Arbre de Judée (3-4 ans). Difficile.

CERCIS siliquastrum (Légumineuses)
Arbre de Judée

Description et caractères

Voilà une plante très recherchée pour ses feuilles vertes, glauques presque rondes, son bois noir tourmenté et sa floraison sur le bois chez les vieux sujets. Il présente quand même quelques difficultés de culture, craignant tant l'excès d'eau que le manque.

Exigences

Situation : ensoleillée de préférence.

Sol : plutôt calcaire, comme la plupart des légumineuses.

Soins de culture

Rempotage : avec délicatesse tous les 3 ans dans un sol perméable car il craint l'excès d'eau.

Taille et pincement : ne pas trop tailler. Se limiter au pincement ou à une taille de formation.

Arrosage : maintenir le sol humide, mais sans excès. La pulvérisation n'est pas indispensable.

Fumure - organique : corne au printemps sur la terre.

      - minérale : une fois par mois, en mai, juin et juillet avec un engrais liquide.

Parasites et maladies : il n'y a pas de parasites spécifiques à cette plante.

Notre avis : *Sa culture n'est pas évidente. Eviter tout excès d'arrosage ou de fertilisation. A réserver aux spécialistes.*

CHAENOMELES Japonica (Rosacées)
Cognassier du Japon

Description et caractères

Encore un classique du bonsaï japonais, surtout apprécié pour sa plendide floraison (rose ou rouge) sur le bois, de Noël à mars-avril. Il est malheureusement assez difficile de culture et sa réduction en bonsaï pose des problèmes.

Exigences

Situation : il supporte le soleil, mais craint le dessèchement.

Sol : assez indifférent, mais préfère un sol à pH neutre, voire légèrement basique, argileux.

Soins de culture

Rempotage : la floraison hivernale impose un rempotage très précoce en octobre-novembre tous les 2 ans dans un mélange assez argileux.

Taille et pincement : avant le rempotage sur 4-5 yeux et après la floraison sur 2 yeux.

Arrosage : ne pas laisser la plante dessécher.

Fumure - organique : corne au printemps sur la terre.

       - minérale : tous les 15 jours après la floraison avec un engrais.

Parasites et maladies : plante résistante, parfois quelques pucerons.

> **Notre avis :** *Plante intéressante, mais assez difficile à former pour le débutant du fait de sa floraison décalée et d'une certaine difficulté d'enracinement.*

Cognassier du Japon (4-5 ans) issu d'un conteneur de pépinière. Il fleurit régulièrement sur le bois à partir de Noël.

Noisetier tortueux (7-8 ans). Photo prise en décembre. Les chatons mâles sont déjà très visibles.

CORYLLUS avellana contorta (Bétulacées)
Noisetier tortueux

Description et caractères

Notre choix se limite à cette variété de Noisetier parce que c'est la plus intéressante, en hiver par son bois tortueux et sa floraison en chaton dès le mois de février. Son feuillage gaufré présente peu d'intérêt en été.

Exigences

Situation : ombragée et fraîche en été.

Sol : frais, argileux, légèrement acide.

Soins de culture

Rempotage : le faible enracinement n'implique qu'un rempotage tous les 3 à 4 ans.

Taille et pincement : en hiver uniquement pour maintenir une forme agréable. Pas de pincement d'été.

Arrosage : maintenir humide et pulvériser.

Fumure - organique : corne au printemps sur la terre.

       - minérale : tous les 15 jours en été avec un engrais liquide.

Parasites et maladies : sensible à la cochenille. Traiter préventivement en hiver (voir tableau page 88).

> **Notre avis :** *Plante intéressante, mais assez délicate. A ne pas conseiller au débutant.*

C. horizontalis variegata (4-5 ans) à feuilles panachées.

C. salicifolia (8-9 ans) issu d'un conteneur de pépinière. La mise en coupe date de 3 ans.

C. melanotricha en fleurs (4-5 ans), 10 cm. La mise en coupe a été faite au cours de l'hiver précédent.

COTONEASTER (Rosacées)
Cotoneaster, Néflier des rochers

Description et caractères

Avec le Cotoneaster, nous abordons un genre très riche et très varié, très facile de surcroît à former et à entretenir. Avec le développement d'une maladie, le "feu bactérien", certaines espèces ont pratiquement disparu du marché. Le choix se portera essentiellement sur les variétés à petites feuilles persistantes, intéressantes par leur floraison et leurs fruits rouges.

Exigences

Situation : le Cotoneaster supporte le plein soleil.

Sol : préfère les sols neutres ou légèrement acides, argileux et gardant bien l'humidité, dont il craint l'excès cependant.

Soins de culture

Rempotage : tous les 2 à 3 ans en hiver. Pour la première mise en coupe d'un plant de pépinière, le faire très tôt au début de l'hiver afin de favoriser l'enracinement.

Taille et pincement : taille d'hiver normale pour la formation, 1 pincement de printemps et 1 pincement d'été pour les variétés à croissance rapide comme le *C. salicifolia.*

Arrosage : supporte bien la sécheresse, mais éviter malgré tout une dessiccation du sol.

Fumure - organique : corne au printemps sur la terre.

- minérale : une fois par quinzaine de mai à septembre avec un engrais liquide.

Parasites et maladies : peu de parasites, si ce n'est des pucerons pour les variétés à croissance rapide.

> **Notre avis :** *Choix des variétés.*
> *Le Cotoneaster est un genre très intéressant pour un débutant, par sa facilité de mise en forme, d'entretien et son prix.*
> *Nous conseillons vivement par ordre de préférence :*
> *- Cotoneaster microphylla, à petites feuilles persistantes, à très jolie floraison printanière, à formation facile, mais à croissance lente. Très voisin, le C. melanotricha a des caractères semblables. Les deux sont très fructifères (jolies baies rouges à l'automne).*
> *- C. salicifolia et C. salicifolia "Parkteppich" forment de très beaux arbres à feuilles allongées, à croissance assez rapide et qui se prêtent bien à la formation. Ils se multiplient très facilement par semis dans les vieux jardins, mais on ne les trouve malheureusement plus en pépinière.*
> *- C. dameri "Sgoksholmen". Persistant, se prête très bien pour faire des cascades.*
> *- C. horizontalis et sa variété panachée "variegata" , c'est le plus connu, mais il est caduque.*

ELEAGNUS (Eleagnacées)
Eleagnus, Chalef, Olivier de Bohême

Description et caractères
Deux groupes d'espèces caractérisent le genre.

- *E. angustifolius* ou Olivier de Bohême à feuilles grises caduques cendrées. Il ressemble à l'Olivier, bien qu'ayant une croissance beaucoup plus rapide. Sa floraison est insignifiante, mais très odorante.

- *E. ebbingei* et *E. pungens variegatus* à feuilles persistantes plus grandes que le précédent, gris métallique pour le premier, vert panaché de jaune pour le second. Le bois est épineux dans tous les cas.

Exigences
Situation : supporte bien les situations ensoleillées et ne craint pas une certaine sécheresse.

Sol : neutre ou légèrement acide.

Soins de culture
Rempotage : avant le démarrage de la végétation, tous les 2 ou 3 ans pour les jeunes sujets, plus espacé pour les vieux sujets.

Taille et pincement : avant la pousse, en mars, mais ne pas négliger les pincements car la plante a une croissance assez rapide. Tailler alors sur 2 à 3 yeux.

Arrosage : supporte la sécheresse, mais sans excès. Bassinage léger par grosse chaleur.

Eleagnus ebbingei en culture (3-4 ans).

Fumure - organique : corne au printemps sur la terre.

- *minérale :* une fois par quinzaine de juin à août.

Parasites et maladies : il n'y a pratiquement pas de parasites sur l'Eleagnus.

> **Notre avis :** *Plante un peu spéciale qui ne prend de l'intérêt qu'avec l'âge. Bien que ce soit une plante facile à trouver en pépinière, à réserver au collectionneur.*

On peut mentionner ici une plante voisine et assez semblable par le port et le comportement, c'est l'**HIPPOPHAE rhamnoides** ou **Argousier.**

GINKGO biloba (Ginkgoacées)
Arbre aux 40 écus

Description et caractères
C'est un arbre très ancien, qui se rattache au groupe des Gymnospermes (mais non des conifères) aux feuilles caractéristiques en éventail, prenant une superbe teinte dorée à l'automne.

Jeune Ginkgo dans sa 3e année.

Exigences
Situation : supporte le plein soleil à condition d'être bien arrosé.

Sol : neutre, moyennement argileux, bien drainé.

Soins de culture

Rempotage : tous les 2 ans pour les jeunes sujets, un peu moins pour les sujets adultes, dans un bon terreau bonsaï avant la végétation (mars).

Taille et pincement : il n'y a pas de taille à proprement parler lorsque le pincement d'été (2 à 3) est bien fait car la croissance des bourgeons latéraux est très lente.

Arrosage : abondant. Le Ginkgo craint la sécheresse. En profiter pour le bassiner.

Fumure - organique : corne en poudre au printemps sur la terre.

   - minérale : une fois par mois de mai à septembre avec un engrais.

Parasites et maladies : sans parasite.

> *Notre avis : Arbre classé pour sa très grande résistance à la pollution, il a tendance à se vulgariser. On le trouve facilement en pépinière. C'est une plante très intéressante et sans grande difficulté de culture. La croissance en épaisseur du tronc est très lente et il ne faut pas s'attendre à lui voir prendre rapidement une forme de vieil arbre.*

GLEDITSCHIA inermis (Légumineuses)

Description et caractères

C'est une plante intéressante par son feuillage et qui se tient très bien en bonsaï. Son feuillage composé, plus fin que celui du Robinier est très décoratif. Il se traite comme le SOPHORA (voir Sophora) à condition d'être prélevé assez gros. Prendre si possible le *G. inermis,* variété greffée dorée de toute beauté. Par son bois noir et tourmenté on peut rapidement lui donner une forme intéressante.

Gleditschia inermis (7-8 ans) en variété dorée (var. Sunbirst). La greffe est visible au départ des feuilles.

Hebe buxifolia (4-5 ans). Plus fin que le buis.

HEBE buxifolia (Scrofulariacées)
Véronique

Description et caractères

Petite plante peu utilisée en bonsaï, à tort, car ses petites feuilles persistantes rondes et vertes lui prêtent rapidement un aspect de petit arbre, son port en boule est ravissant. Elle ne présente par ailleurs aucune difficulté de culture et ressemble au buis.

Exigences

Situation : préfère les expositions mi-ombragées, fraîches.

Sol : frais, à pH légèrement acide.

Soins de culture

Rempotage : on rempotera tous les 2-3 ans au printemps, mais c'est une plante très peu exigeante.

Taille et pincement : se taille pendant toute la période de végétation de mars à septembre. Le pincement s'apparente ici à la taille.

Arrosage : arroser et bassiner régulièrement car elle craint le dessèchement.

Fumure - organique : corne en poudre sur la terre au printemps.

   - minérale : tous les 15 jours en été, de mai à août.

Parasites et maladies : pas de parasites.

> *Notre avis : Plante très intéressante pour un débutant qui trouvera à peu de frais de gros spécimens en conteneur et pourra ainsi rapidement avoir un petit arbre. Plus intéressant à notre avis que le buis. Autre espèce H. pinguifolia à feuillage bleuté.*

HYDRANGEA petiolaris (Hydrangeacées)
Hortensia grimpant

Nous mentionnons ici, pour mémoire, cette plante de collectionneur que l'on trouve assez facilement en pépinière et qui se travaille sans grande difficulté en bonsaï, mais qui ne présente qu'un intérêt esthétique limité.

ILEX crenata (Ilicacées)
Houx de Chine

Description et caractères

Le houx est une plante persistante, dont tout le monde connaît les feuilles coriaces et luisantes, piquantes à souhait et qui peut se travailler en bonsaï. Sa croissance très lente en fait cependant une plante de collectionneur. Les prélèvements dans les vieux jardins ou dans la nature permettent parfois d'avoir de très beaux sujets rapidement. Ils sont cependant très difficiles à acclimater en coupes. L'*Ilex crenata* porte des fruits, les deux sexes se trouvant sur la même plante, ce qui n'est pas le cas du houx européen.

Exigences

Situation : le houx est une plante d'ombre ou mi-ombre.

Sol : très acide (ph 5 à 5,5). Utiliser de la terre de bruyère.

Houx (5-6 ans). Très long à former. Issu d'un conteneur de pépinière.

Soins de culture

Rempotage : tous les 2 à 3 ans en terre acide.

Taille et pincement : comme pour tous les persistants, il n'y a pas de taille à proprement parler et le pincement continu constitue la meilleure formation.

Arrosage : très fréquent en été avec de l'eau douce.

Fumure - organique : corne en poudre sur la terre au printemps.

- *minérale :* une fois par mois de mai à août avec un engrais liquide.

Parasites et maladies : il n'y a pas de parasites sur le houx.

Notre avis : *De croissance lente, de culture assez délicate, nous déconseillons ce genre au débutant. Pour les amateurs qui veulent le compter dans leur collection, nous conseillons les variétés actuelles d'origine américaine à petites feuilles et à fructification facile.*

JASMINUM nudiflorum (Oléacées)
Jasmin d'hiver

Description et caractères

Plante intéressante par son feuillage trilobé caduque, sa tige quadrangulaire verte, à l'état jeune et surtout sa floraison jaune sur le bois en hiver. Classée plante grimpante, sa croissance assez rapide oblige à un pincement fréquent en été.

Exigences

Situation : supporte le plein soleil et ne craint pas un certain dessèchement.

Sol : sol neutre, un peu argileux.

Jasmin d'hiver (2-3 ans) avant la seconde taille d'été.

Soins de culture

Rempotage : après la floraison en mars-avril tous les 2 ans.

Taille et pincement : pincer fréquemment en cours de végétation, car la pousse est rapide. Le pincement et la taille vont de paire.

Arrosage : maintenir humide, mais sans excès. Le bassinage n'est pas indispensable.

Fumure - organique : saupoudrer de la corne au printemps sur la terre.

       - minérale : de mai à septembre tous les mois avec un engrais liquide.

> **Notre avis :** *Plante intéressante parce que facile ; à conseiller notamment pour les montages rupestres. Partir si possible de jeunes plantes en godet. Sa floraison hivernale lui confère un attrait spécial.*

LIGUSTRUM coriaceum (Oléacées)
Troène

Description et caractères

C'est une variété de troène à feuilles charnues persistantes, curieuse d'apparence, mais se prêtant très bien à une formation en bonsaï. La floraison blanche augmente le charme de cette plante intéressante.

Ligustrum coriaceum (5-6 ans) en formation.

Exigences

Situation : indifférente, mais éviter le trop grand soleil qui risque de brûler le feuillage.

Sol : comme tous les troènes, la nature du sol est indifférente (pas trop acide, et argileux).

Soins de culture

Rempotage : tous les 2-3 ans avant de démarrage de la végétation.

Taille et pincement : taille et pincement se confondent en cours de végétation. Les entre-nœuds étant très courts et la croissance très lente, il y a peu à faire.

Arrosage : régulier mais sans excès. Le bassinage n'est pas indispensable.

Fumure - organique : saupoudrer de la corne au printemps sur la terre.

       - minérale : tous les 15 jours de mai à septembre avec un engrais liquide.

Parasites et maladies : faire attention aux pucerons, mais il y a peu de parasites.

> **Notre avis :** *Bonne plante à bonsaï. Originale, facile de culture, persistante. Sans doute un peu difficile à trouver, car la plante ne se multiplie que par greffe et est de ce fait assez rare.*

LIQUIDAMBAR styraciflua (Hamamélidacées)
Copalme d'Amérique

Description et caractères

Naturellement grand (40 mètres de hauteur), c'est un arbre qui se prête très facilement à la miniaturisation et on peut en quelques années obtenir un superbe bonsaï sans grand problème, car il se ramifie très bien tout petit. C'est un arbre qui aime les lieux humides. Ses feuilles alternes de 3 à 7 lobes ressemblent un peu à celles des Erables de Bürger. Son écorce est très subérifiée, un peu comme le Chêne-liège. Outre l'arbre qui est très élégant de port, ses feuilles prennent en automne de splendides couleurs rouge qui rivalisent sans complexe avec les plus beaux érables.

Exigences

Situation : il supporte très bien le plein soleil mais craint avant tout le dessèchement.

Sol : il aime les sols riches, frais, légèrement acides. S'il aime l'humidité et la fraîcheur, il craint l'eau stagnante.

Soins de culture

Rempotage : la première mise en pot se pratique à la fin de l'hiver avec des plants jeunes déjà bien formés. Le rempotage se fait par la suite tous les 2 à 3 ans.

Taille et pincement : la taille de formation se fait à la fin de l'hiver, mais c'est le pincement en cours de végé-

Liquidambar (3 ans) en culture dans sa livrée d'automne.

tation qui est important. Pincer à 2 yeux régulièrement au courant de l'été, les bourgeons latéraux repartent très rapidement, les feuilles deviennent plus petites.

Arrosage et bassinage : très fréquents. Ne pas laisser dessécher la terre et pulvériser le feuillage fréquemment.

Fumure - organique : saupoudrer de la corne au printemps sur la terre.

　　　- minérale : une fois par quinzaine de mai à fin août. Sa croissance rapide exige une fertilisation suivie et copieuse avec un engrais liquide.

Parasites et maladies : très peu sensible à tout parasitisme, de même qu'à la pollution, faire attention aux attaques de pucerons sur les jeunes pousses.

> **Notre avis :** *Excellent arbre pour faire de très beaux bonsaïs. Il se prête également à la confection de belles forêts qui prennent des teintes splendides en automne. La croissance rapide permet d'avoir un bonsaï très correct et très bien formé en 3 ans.*

MALUS communis (Rosacées)
Pommier

Description et caractères

Qui ne connaît le pommier ? C'est un genre qui se prête remarquablement à la mise en forme et qui très rapidement devient un petit arbre avec son cycle végétatif complet de la floraison à la fructification.

Exigences

Situation : supporte le plein soleil, mais accuse rapidement un manque d'eau. Le flétrissement se rattrape assez vite en plongeant le pot dans une bassine d'eau.

Sol : le pommier demande un sol argileux, frais, neutre.

Soins de culture

Rempotage : assez gourmand, le pommier exige un rempotage annuel, soit au printemps, soit au début de l'hiver car il refait son système radiculaire en hiver.

Taille et pincement : comme tout arbre fruitier, on doit le tailler au courant de l'hiver pour le former, et le pincer très régulièrement en saison de végétation sur 2 yeux car il pousse très vite et les bourgeons latéraux repartent aussitôt. Le pincement en vert est d'ailleurs une méthode de mise à fruits, car les boutons à fleurs se forment dès le mois de juin.

Arrosage : très fréquent. Ne pas laisser dessécher le pot. Eviter les pulvérisations qui favorisent l'oïdium ou maladie du blanc sur le feuillage.

Fumure - organique : mélanger de la corne au printemps à la terre.

　　　- minérale : indispensable tous les 15 jours de mai à septembre pour compenser la croissance rapide de la plante, avec un engrais liquide.

Parasites et maladies : les parasites sont très nombreux sur le pommier, soit animaux (pucerons surtout,

Jeune Pommier (variété Everest) dans sa 3e année. Il fleurira au printemps suivant.

araignées rouges, cochenilles, chenilles diverses), soit en maladie, oïdium dû à un excès de bassinage, et un manque d'aération, mais aussi tavelure.

> **Notre avis :** *Arbre intéressant par sa croissance rapide, sa floraison et sa fructification. Il permet un bon entraînement au néophyte. On le trouve partout et il n'est pas cher. Le seul ennui est sa sensibilité aux parasites et aux maladies. Toutes les variétés de pommier peuvent être traitées en bonsaï, mais nous recommandons particulièrement Malus X.* variété Everest, très florifère avec de petits fruits proportionnés à la taille de l'arbre.*

*Note : X. signifie qu'il s'agit d'un hybride issu d'un croisement.

OSMANTHUS aquifolium (Oléacées)
Faux houx

Nous le mentionnons pour mémoire, mais il serait dommage de passer sous silence une plante qui présente un intérêt du fait de son feuillage persistant ressemblant à celui du houx, et surtout par sa floraison particulièrement odorante en automne.

Maintenu en bonsaï, sa croissance est lente. Peu exigeant sur la nature du sol, éviter malgré tout le grand soleil.

PIERIS Japonica (Ericacées)
Andromède

Description et caractères

On ne compte pas de jardin japonais sans l'Andromède et sa simplicité de culture l'a fait adopter très tôt en bonsaï. Cette plante à feuilles persistantes, allongées de 3 à 5 cm, est particulièrement décorative au printemps, au moment de la floraison et du démarrage de la végétation avec ses pousses rouge éclatant, notamment dans la variété "Forest Flame".

Exigences

Situation : c'est une plante de terre de bruyère qui préfère les expositions mi-ombragées et craint le grand soleil.

Sol : terre de bruyère, donc terre acide fraîche et légère.

Soins de culture

Rempotage : tous les 2 à 3 ans seulement, le système radiculaire étant très fin, ne pas trop supprimer de racines.

Andromède (5-6 ans).

Taille et pincement : dans le courant de l'été, pincer les rameaux qui prendraient trop de développement de manière à maintenir une forme à la plante. Ne pas tailler en hiver, ni pendant la floraison.

Arrosage et pulvérisation : plante de milieu frais, donc sans variation importante de phases sèches et de phases humides. Pulvériser à l'eau douce.

Fumure - organique : corne au printemps sur le pot.

- *minérale :* dans le courant de l'été, une fois par mois jusqu'en octobre. La plante restant en végétation l'hiver (ce qui ne veut pas dire croissance), lui assurer une fertilisation tardive avec un engrais liquide.

Parasites et maladies : plante très résistante et peu sensible aux parasites.

> **Notre avis :** *Avis très favorable pour une plante sans problème, peu chère et assez facile à trouver. Elle a des qualités décoratives tout à fait exceptionnelles ; malheureusement, on la trouve rarement en jeunes plants.*

PRUNUS (Rosacées)
Prunier, cerisier, amandier, pêcher

Description et caractères

Sous le nom générique PRUNUS sont regroupées plusieurs espèces très diverses comme les cerisiers, les pêchers, les pruniers, les amandiers, etc. toutes espèces se traitant sans difficulté en bonsaï. Les caractères généraux sont communs aux diverses espèces : feuilles alternes, feuillage caduque et surtout floraison printanière éclatante.

Prunus "Mume" (20 ans).

Exigences

Situation : les Prunus sont des plantes de plein soleil qui s'étiolent à l'ombre. Ne pas hésiter à les y exposer. Par contre, ce sont des plantes qui dans la nature ont des racines très profondes pour chercher l'humidité dans le sol et qui supportent des sols caillouteux très secs.

Sol : ils aiment les sols neutres ou légèrement calcaires, craignent l'excès d'eau stagnante.

Soins de culture

Rempotage : assez fréquent : tous les deux ans au moins. On peut les rempoter après la floraison, à condition de ne pas trop toucher aux racines, ou à la fin de l'automne, pour leur permettre de refaire leur système radiculaire en hiver.

Taille et pincement : la taille commence après la floraison et se poursuit par un pincement à 2-3 yeux au cours de l'été.

Arrosage et pulvérisation : les Prunus n'ont pas besoin de bassinage, au contraire même. Par contre les arrosages doivent être réguliers, car même si les Prunus supportent bien la sécheresse dans la nature, ils accusent rapidement un manque d'humidité.

Fumure - organique : corne au rempotage ou saupoudrée sur la terre au printemps,

    - minérale : régulière tous les 15 jours au cours de l'été après la floraison, avec un engrais liquide.

Parasites et maladies : pucerons et cochenilles sont les principaux parasites des Prunus.

Jeune Pêcher (4 ans), issu d'un noyau, prélevé sous un arbre adulte et qui en est à sa seconde année en coupe. Il fleurira au printemps prochain, mais ses feuilles prendront dès l'automne des teintes orangées absolument féériques.

PYRACANTHA (Rosacées)
Buisson ardent

Description et caractères
Arbuste à feuillage persistant, très épineux, originaire de Chine, il se travaille assez facilement en bonsaï. Intéressant par sa floraison blanche au printemps, mais surtout par sa fructification (il se couvre de baies oranges à partir du mois d'août) ; il se travaille sans difficulté.

Pyracanthe (3 ans) avant formation.

Exigences
Situation : le Pyracantha aime le grand soleil et ses exigences sont à peu près identiques à celles du Prunus dont il est très proche.

Sol : il aime les sols neutres, argileux, mais supporte le calcaire. Il craint le dessèchement et n'est que moyennement rustique en pot.

Soins de culture
Rempotage : il se rempote tous les 2 ans en février-mars dans un mélange argileux et riche (terreau bonsaï).

Taille et pincement : pratiquer une taille en fin d'hiver avant la floraison et pincer très régulièrement au cours de l'été, car la croissance est rapide.

Arrosage et pulvérisation : le Pyracantha demande à être arrosé régulièrement et abondamment au cours de l'été. Ne pas pulvériser.

Fumure - organique : corne au rempotage ou en poudre à la surface de la terre au printemps.

- minérale : toutes les 3 semaines. Un excès de fertilisation favorise le développement de la plante et obligera à des pincements fréquents.

Parasites et maladies : le Pyracantha est malheureusement sensible à certains parasites animaux (puceron, cochenille et en particulier cochenille blanche) ; on a cru un certain temps à une sensibilité particulière à une maladie bactérienne (" feu bactérien "), il n'en est rien heureusement et on peut le cultiver sans risque de le voir périr. Les fruits sont parfois attaqués par la fumagine (ils se couvrent d'une suie noire).

> **Notre avis :** *Très bonne plante, facile à se procurer dans des variétés nombreuses (Orange glow, Red co-lumn, etc.) en godet ou en jeunes plants. Nous conseillons la variété Red Column qui a un port un peu prostré et est très intéressante à travailler. Il n'y a pas de grandes difficultés à le former, bien que ce soit un peu ingrat du fait des épines et d'une fructification qui tarde parfois.*

QUERCUS robur (Fagacées)
Chêne rouvre (espèce sessile ou pédonculée)

Le chêne est intéressant par son feuillage dentelé. Assez proche du charme au point de vue culture, il vieillit très mal en coupe et ne dépasse pas une dizaine d'années. Pour ceux qui seraient tentés par le chêne, nous conseillons de prélever dans la nature des sujets intéressants au point de vue forme et de les acclimater sans se faire trop d'illusions sur leur longévité, ce qui n'est pas le cas dans la nature où les chênes deviennent très vieux. Cela tient sans doute au système radiculaire qui ne supporte par chez le chêne d'être trop manipulé et dans un volume de terre réduit.

Jeune Chêne (5-6 ans) prélevé dans la nature (2e année en coupe).

SOPHORA Japonica (Légumineuses)
Sophora du Japon

Description et caractères

Encore une espèce originaire de Chine, à feuilles caduques composées de 7 à 17 folioles et à l'aspect du robinier de nos forêts. Sa floraison est jaune, mais il y a peu de chance de le voir fleurir en bonsaï. Sa culture est cependant intéressante parce qu'il prend rapidement un port d'arbre, qu'on peut le traiter en forêt et que son feuillage n'est pas ordinaire.

Exigences

Situation : rustique, il demande un emplacement ensoleillé.

Sol : un sol fertile, argileux, voisin de la neutralité lui convient bien.

Soins de culture

Rempotage : au printemps (mars) avant l'apparition des feuilles tous les 2-3 ans dans une terre plutôt argileuse (terreau bonsaï).

Taille et pincement : le pincer régulièrement (2-3 yeux) au cours de l'été car il pousse vite. Corriger en hiver les imperfections du tronc.

Arrosage : normal, sans excès. Il supporte un oubli passager. Le bassinage n'est pas nécessaire.

Fumure - organique : corne au rempotage ou en poudre à la surface de la terre au printemps.

- minérale : une fois par mois de mai à septembre.

Parasites et maladies : faire attention aux pucerons qui se développent sur les jeunes pousses.

> **Notre avis :** *Très bonne plante pour bonsaï, curieusement peu citée, car elle est de multiplication facile ; on peut se la procurer aisément en jeune plant ; elle se forme rapidement en petit arbre sans difficulté.*
> *Très voisin du GLEDITSCHIA.*

ULMUS (Ulmacées)
Orme

Description et caractères

Avec l'orme, nous abordons un genre très riche et très bien représenté dans le monde du bonsaï, bien que des confusions de noms soient très fréquentes. Parmi les espèces les plus intéressantes, nous retiendrons celles à petites feuilles dont deux sont parfaitement rustiques.

Orme nain "J. Hillier" (4-5 ans), 20 cm.

Sophora (3 ans) en formation.

Ulmus pumila, à petites feuilles brillantes. Originaire de Chine et du Japon, on l'appelle aussi Orme de Sibérie. Il est très élégant et facile à former.

U. elegantissima, également originaire d'Asie, à très petites feuilles ; buissonnant, on le connaît sous sa variété "Jacqueline Hillier". Il est tout à fait recommandable pour les très petites formes en bonsaï.

Exigences

Situation : il aime les situations ensoleillées, mais en bonsaï, lui éviter le dessèchement qu'il craint par-dessus tout.

Sol : l'orme aime les sols neutres, voire calcaires, argileux.

Soins de culture

Rempotage : tous les 2-3 ans dans une terre riche, argileuse (terreau bonsaï).

Taille et pincement : sa croissance rapide oblige à un pincement fréquent en été sur 2 yeux et à une bonne taille de formation en mars, avant le démarrage des feuilles.

Arrosage et bassinage : un arrosage régulier est nécessaire. Un bassinage lui est profitable pour maintenir son feuillage frais.

Fumure - organique : corne au rempotage ou saupoudrée à la surface de la terre au printemps.

- minérale : une fois par mois en été de mai à septembre. Sa croissance étant rapide, un excès d'engrais obligerait à un pincement fréquent.

Parasites et maladies : si l'orme de nos régions est en voie de disparition du fait d'une maladie (la graphiose) il semble que les 2 espèces citées soient tout à fait résistantes. Les pucerons sont les seuls parasites notables.

> **Notre avis :** *Excellente plante ayant naturellement un port de petit arbre et des feuilles réduites. A recommander à tous et particulièrement au débutant dans l'espèce U. pumila elegantissima "J. Hillier" que l'on trouve facilement dans le commerce.*

WISTARIA sinensis (Légumineuses)
Glycine

Description et caractères

La Glycine est bien connue car c'est une plante grimpante que l'on retrouve dans de nombreux jardins, sur des façades ou sur des pergolas. Ses fleurs en grappes bleu lavande (plus rarement roses ou blanches), parfumées, précèdent les feuilles au mois de mai. Bien que sa croissance puisse atteindre 20 à 30 mètres c'est une plante qui se laisse réduire en bonsaï et donne une floraison généreuse pour qui sait la tailler. La Glycine de Chine est une plante traditionnelle au Japon.

Exigences

Situation : la Glycine aime le soleil, mais craint le dessèchement. C'est pourquoi il lui faut une terre argileuse qui sera régulièrement arrosée.

Sol : frais, argileux.

Orme de Sibérie (4-5 ans), 40 cm. Le plus intéressant des ormes.

Fleurs de Glycine.

Soins de culture

Rempotage : il importe de ne pas trop toucher aux racines. On la rempotera donc tous les 3 à 4 ans seulement, dans une terre assez riche.

Taille et pincement : la Glycine doit être taillée sévèrement en fin d'hiver, et régulièrement pincée jusqu'au mois d'août de façon également assez sévère sur 2 à 3 yeux. Ne pas oublier que c'est une plante grimpante qui ne demande qu'à se développer.

Arrosage et pulvérisation : ne pas oublier d'arroser copieusement la Glycine qui craint le dessèchement. Ne pas pulvériser d'eau sur le feuillage.

Fumure - organique : corne au printemps sur la terre.

- *minérale :* une fois par mois suffit, jusqu'en septembre, sinon on n'arrive plus à la maîtriser.

Parasites et maladies : des pucerons sur les pousses et un peu d'oïdium sur les jeunes pousses.

> **Notre avis :** *Plante facile à se procurer dans toutes les pépinières. Plus difficile cependant à former et à conserver car c'est une liane qui a tendance à pousser très rapidement. L'expérience vaut le coup d'être tentée pour un amateur déjà un peu averti.*

ZELKOWA carpinifolia ou Z. crenata
(Ulmacées)
Faux orme de Sibérie

Description et caractères

Originaire d'Asie, le Zelkowa a très tôt fait partie des collections japonaises. Par ses petites feuilles allongées et dentelées et par la forme naturelle de son bois, il prend très rapidement un port de petit arbre. La coloration de son feuillage en automne lui donne un charme très particulier. Au point de vue culture, il n'est absolument pas difficile.

Exigences

Situation : le Zelkowa supporte très bien le soleil et il n'y a pas de précautions particulières à prendre pour son exposition.

Sol : un bon sol neutre, légèrement argileux lui convient très bien.

Soins de culture

Rempotage : tous les 2 à 3 ans en mars avant la pousse des feuilles.

Taille et pincement : la taille se fait en mars en même temps que le rempotage. La croissance étant assez rapide, les pincements doivent être effectués jusqu'en septembre 3 à 4 fois sur 2 à 3 yeux. Ces pincements

favorisent notablement une diminution de la grandeur des feuilles.

Arrosage et pulvérisation : bien qu'assez résistant à la sécheresse, maintenir la terre humide par des arrosages fréquents. Pulvériser le feuillage à l'occasion.

Fumure - organique : poudre de corne au rempotage ou à la surface de la terre au printemps.

- *minérale :* au cours de la saison de végétation, 2 fois par mois jusqu'en septembre.

Parasites et maladies : très résistant, le Zelkowa n'est que peu sujet à des attaques parasitaires.

> **Notre avis :** *C'est un des genres les plus intéressants à travailler en bonsaï. Il est résistant, facile, de croissance rapide, nous le conseillons à tous, et spécialement aux débutants. Il est par ailleurs aisé de le trouver en jeunes plants dans le commerce.*

Zelkowa (4 ans) en cours de formation. A l'automne, il jette des feux de toute beauté.

Pins typiques du Japon. A gauche, P. nigra "Thunbergii", à droite P. pentaphylla.

LES CONIFERES

Sont assimilés aux conifères la plupart des résineux portant des cônes (pin et sapin) et par extension les ifs et les genévriers qui ont des baies. Ils ont un feuillage persistant (sauf le Metasequoia, le Mélèze et le Taxodium ; le Ginkgo biloba n'est pas à proprement parler un conifère, mais il leur est assimilé). Les conifères sont la parure de la plupart des jardins et des rocailles et, même si leurs espèces ne sont pas très nombreuses, ils occupent une place de choix parmi les bonsaïs, à commencer par le plus célèbre d'entre eux, le Pin blanc, ou *Pinus pentaphylla*. Leurs feuilles souvent en aiguilles sont caractéristiques des pins et des sapins.

Le conifère ne supporte pas de rester à racines nues. Lors de son rempotage, il est nécessaire de toujours lui conserver une petite motte de terre, même si l'on supprime une partie des racines.

Autre caractéristique des conifères, ne jamais couper les aiguilles qui dessèchent et tombent. La taille d'entretien se fait essentiellement par pincement du bourgeon, hormis bien sûr la taille de formation.

CEDRUS atlantica (Pinacées)
Cèdre de l'Atlas

Description et caractères

C'est un conifère majestueux qui se prête très bien à la mise en bonsaï et qui porte de petites aiguilles disposées le long de la tige ou groupées en petits bouquets sur la tige. La variété bleue est la plus connue. Si l'espèce verte s'obtient sans problème par semis, la variété bleue est en général faite à partir d'une greffe et est de ce fait plus chère à l'achat.

Jeune Cèdre de l'Atlas (4-5 ans). Le Cèdre du Liban est rare et sensible au froid.

Exigences

Situation : ensoleillée et bien exposée, mais il craint le dessèchement. Un peu sensible aux très grands froids.

Sol : un sol argileux, neutre, assez profond, lui convient bien.

Soins de culture

Rempotage : tous les 3 à 4 ans dans un terreau bonsaï enrichi. Tailler légèrement les racines.

Taille et pincement : en mars, procéder à la formation de l'arbre qui sera complétée par un pincement en juin sur les pousses de l'année. Sa croissance est réduite en pot. On ligature toute l'année.

Arrosage et pulvérisation : abondants. Le cèdre craint toutefois les excès d'eau.

Fumure - organique : poudre de corne au rempotage ou en surface de la terre au printemps.

- minérale : une fois par mois jusqu'en septembre avec un engrais liquide.

Parasites et maladies : attention aux pucerons noirs et à la cochenille.

> **Notre avis :** *Sa culture n'est pas très évidente. Commencer avec de jeunes plants de Cèdres verts qui sont bon marché avant de se lancer dans le Cèdre bleu greffé beaucoup plus cher. On peut en faire des forêts, mais attention au dessèchement. La croissance du cèdre en pot est lente.*

CHAMAECYPARIS (Cupressacées)
Faux Cyprès

Description et caractères

Du Chamaecyparis, nous retiendrons 2 espèces :

- Le *Chamaecyparis obtusa,* originaire du Japon, et qui a une variété célèbre, *C. obtusa* "nana gracilis" d'un beau vert brillant foncé, de croissance très lente et qui se prête facilement à la mise en bonsaï, soit tout petit, soit déjà de taille importante.

- Le *Chamaecyparis lawsoniana* "Elwoodii" qui est naturellement aussi de taille moyenne, à port en colonne, à feuillage très fin et qui se prête surtout très bien

Chamaecyparis L. "Elwoodii" (3 ans), petite forêt, faite au printemps de l'année de la photographie.

Chamaecyparis obtusa "nana gracilis" (6-7 ans), 30 cm de hauteur.

ser le développement d'une maladie (Phytophtora cinnamomi) qu'il faut prévenir avec un produit, l'Aliette.

> **Notre avis :** *Ne pas se priver du plaisir de se constituer une petite forêt miniature avec le* Chamaecyparis *"Elwoodii" ou de se faire un vieux solitaire avec un gros* Chamaecyparis obtusa *"nana gracilis". Cela en vaut la peine, sans difficulté et à moindre frais.*

CRYPTOMERIA Japonica (Pinacées)
Cryptomeria

Description et caractères

Ce genre ne comporte qu'une seule espèce et de nombreuses variétés dont Bandai Suji (Suji étant le nom japonais du Cryptomeria). C'est encore un arbre d'origine japonaise, au feuillage vert clair, devenant roux en hiver, malheureusement peu rustique sous nos climats.

Cryptomeria Japonica (7-8 ans), 80 cm de haut.

à la constitution de forêt. Son prix est d'ailleurs plus qu'abordable, c'est un des conifères les moins chers et des plus courants sur le marché.

Exigences

Situation : le Chamaecyparis supporte très bien une exposition ensoleillée à condition que l'ambiance soit humide.

Sol : voisin de la neutralité, légèrement argileux.

Soins de culture

Rempotage : peut s'effectuer tôt à l'automne (septembre-octobre au plus tard) ou tard au printemps, en avril, tous les 2-3 ans.

Taille et pincement : sa croissance étant continue pendant tout l'été, tailler en mars-avril et pincer régulièrement tout l'été. On peut le ligaturer tout l'été pour obtenir un port original.

Arrosage et pulvérisation : ne négliger ni l'un, ni l'autre, car le Chamaecyparis est très sensible au dessèchement qui favorise par ailleurs le développement des acariens.

Fumure - organique : corne au rempotage ou saupoudrée à la surface de la terre au printemps.

- *minérale :* une fois par mois pendant l'été de mai à septembre.

Parasites et maladies : très sensible à l'araignée rouge qui favorise le dessèchement des branches. Les arrosages trop fréquents risquent par ailleurs de favori-

Exigences

Situation : il craint le soleil et demande une forte humidité atmosphérique d'où une certaine difficulté dans sa culture.

Sol : sans être une plante de terre de bruyère il aime les sols acides et humifères.

Soins de culture

Rempotage : tard au printemps, en avril-mai, tous les 3 ans, dans un terreau pour plantes vertes.

Taille et pincement : le type de l'espèce a une croissance assez rapide et demande un pincement régulier au cours de l'été pour la formation de beaux plateaux. La variété Bandai Suji a par contre une croissance très lente et n'exige que peu de pincements.

Arrosage et pulvérisation : une ambiance toujours humide et une terre toujours fraîche rendent sa culture parfois aléatoire, car un coup de sec peut lui être fatal.

Fumure - organique : corne au rempotage ou saupoudrée à la surface de la terre au printemps.

       - minérale : de mai à octobre, une fois par mois.

Parasites et maladies : plante sans problème de ce côté.

Cryptomeria J. Bandai Suji (4-5 ans), 15 cm de haut.

Notre avis : *Un Cryptomeria avec ses plateaux peut être un arbre splendide. Il ne faut pas cacher la difficulté de le conserver sous climat un peu rude ou un peu sec. Seules les régions océaniques du nord de la France lui conviennent bien, encore que le froid un peu vif peut lui être fatal. Nous ne le conseillons qu'aux amateurs avertis, car il nécessite de plus un gros travail de pincement très suivi pour le type.*

Juniperus horizontalis (8-10 ans) en cascade, issu d'un conteneur. Mise en coupe de culture l'année de la photographie.

JUNIPERUS (Cupressacées)
Genévrier

Description et caractères

Le genre Juniperus a un grand nombre d'espèces dont nous retiendrons les suivantes :

- *Juniperus horizontalis* en forme prostrée à feuillage bleuté (variété "Blue Chip"), il permet de réaliser de splendides cascades.

- *Juniperus rigida,* originaire du Japon, est le type même utilisé pour le bonsaï dans ce pays. Il est malheureusement difficile à trouver en pépinière chez nous.

- *Juniperus sinensis* est rare dans le type mais très courant dans sa variété verte, à port étalé et qui se travaille très bien en bonsaï.

Exigences

Situation : le Genévrier aime le soleil et supporte un peu d'être au sec, ce qui n'exclut pas des arrosages abondants. Il est par ailleurs très résistant au froid.

Sol : terre franche à tendance calcaire que le Genévrier supporte très bien.

Soins de culture

Rempotage : tous les 2 ans en avril, dans un terreau bonsaï + corne.

Taille et pincement : taille de formation en avril et pincements très réguliers tout l'été pour obtenir un bel étagement des plateaux. Par ses pincements fréquents, c'est une plante assez astreignante.

Arrosage et pulvérisation : si le Genévrier supporte à l'occasion un petit coup de sec, il n'en demande pas moins un arrosage abondant et régulier. La pulvérisation est moins indispensable.

Fumure - organique : corne en poudre au rempotage ou à la surface de la terre au printemps.

- minérale : comme la plupart des conifères, une à deux fois par mois.

Parasites et maladies : faire très attention à la cochenille qui se développe très vite et à l'araignée rouge qui affectionne certaines variétés de Genévrier.

Notre avis : Le Juniperus rigida *est malheureusement difficile à trouver en pépinière. Par contre on trouve de très vieux et splendides exemplaires de* Juniperus horizontalis *qui font de magnifiques cascades et le* Juniperus sinensis Pfitzeriana *est des plus courants dans toutes les tailles.*

LARIX (Pinacées)
Mélèze

Description et caractères

C'est l'un des conifères caduques, à feuillage vert clair, fin, ressemblant un peu au cèdre par la disposition de ses aiguilles, soit en bouquet sur rameau court, soit le long des rameaux. Très résistant au froid, il fait de petites pommes de pin dressées sur la tige. Spontané en Europe *(Larix decidua* ou *Larix europaea)* on le trouve au Japon dans l'espèce *Larix leptolepis.* Le Mélèze européen convient très bien pour la formation en bonsaï.

Exigences

Situation : le Mélèze a besoin de soleil, mais aussi d'une certaine humidité atmosphérique. C'est un arbre de montagne qu'il est parfois difficile d'acclimater en plaine.

Sol : acide à neutre. Il pousse sur à peu près tous les types de sol en montagne.

Soins de culture

Rempotage : avant le départ de la végétation en mars, tous les 2-3 ans. Poussant naturellement dans les pierres, il supporte une absence de rempotage.

Taille et pincement : sa croissance rapide exige un pincement régulier au courant de l'été à la longueur désirée.

Arrosage et pulvérisation : ne négliger ni l'un ni l'autre. Attention à un bon drainage.

Fumure - organique : corne en poudre au rempotage ou à la surface de la terre au printemps.

- minérale : une fois par mois en période de croissance, de mai à août.

Parasites et maladies : en plaine, il est assez sensible aux pucerons lanigères qui, par fortes attaques font tomber ses aiguilles. Attention également à la cochenille et à l'araignée rouge.

Notre avis : *Arbre de montagne, nous ne le conseillons pas au débutant, malgré sa croissance rapide. Par contre si l'on peut faire de beaux prélèvements dans la nature, pourquoi ne pas tenter la chance ?*

METASEQUOIA glyptostroboïdes
(Taxodiacées)
Metasequoia

Description et caractères

Il y a à peine 50 ans que l'on découvrait en Chine cette espèce fossile, aussi n'est-il pas étonnant que les Japonais n'en possèdent pas de vieux spécimens. C'est cependant un conifère à feuilles caduques qui se prête remarquablement bien à la formation en bonsaï, et sa croissance rapide permet d'avoir des sujets qui paraissent plus vieux que leur âge. Il est en plus très résistant au froid. Ses aiguilles ressemblent un peu en plus grand à celles du Cyprès chauve. Elles sont disposées sur de petits rameaux qui tombent à l'automne lorsqu'ils ne sont pas bien aoûtés.

Superbe exemplaire de Metasequoia de 10 ans, issu d'un conteneur de pépinière et travaillé depuis 2 ans en bonsaï.

Exigences

Situation : il ne supporte pas le grand soleil et aime les situations fraîches et légèrement ombragées. De même, il lui faut une certaine humidité ambiante.

Sol : il s'accommode de tous les types de sols, mais une terre un peu argileuse est souhaitable.

Soins de culture

Rempotage : le système radiculaire se développe très vite et donne un gros pain de racines. Rempoter en mars, avant le démarrage de la végétation, dans un mélange assez riche, tous les 2 ans.

Taille et pincement : sa rapide croissance oblige à un pincement fréquent. Il n'y a pas de règle de taille particulière, les bourgeons se reformant au fur et à mesure après la taille, le long de la tige et sur le vieux bois. Couper la pointe tous les ans et la reformer, pour éviter qu'elle ne s'allonge de trop. On complète le pincement par une taille de formation en hiver.

Arrosage et pulvérisation : il craint la sécheresse de l'air autant que le dessèchement de la terre. Arroser et pulvériser abondamment.

Fumure - organique : poudre de corne au rempotage ou à la surface du sol au printemps.

- minérale : absolument nécessaire, car le Metasequoia est très gourmand du fait de sa croissance rapide. Tous les 15 jours en été. Une absence d'engrais le fait jaunir.

Parasites et maladies : néant.

Notre avis : Excellente plante donnant satisfaction sous tous les rapports. Une erreur de taille peut d'ailleurs se corriger facilement car le Metasequoia reforme sans problème un bourgeon sur le vieux bois. A conseiller très vivement.

PICEA (Pinacées)
Epicéa, Sapin

Description et caractères

L'Epicéa est souvent confondu avec l'*Abies*, ou Sapin des Vosges. Ses aiguilles sont courtes et disposées tout autour du rameau. Très piquant, il est parfois désagréable à manipuler. Pour le bonsaï, nous retiendrons deux espèces qui se prêtent sans problème à la miniaturisation :

- *Picea glauca conica,* qui ne dépasse pas 2 mètres en pleine terre et se prête très bien à la taille de formation ou à la constitution de petites forêts.

- *Picea glauca* "Alberta Globe", ravissant petit arbre miniature par nature qui se travaille sans difficulté et qui ne nécessite que peu de taille.

Exigences

Situation : le Picea supporte les expositions très ensoleillées, mais demande à être bien arrosé même s'il supporte bien la sécheresse.

Picea glauca "Alberta Globe" (3-4 ans), 15 cm (mise en coupe au printemps).

Sol : indifférent, on le trouve aussi bien sur sol acide que calcaire.

Soins de culture

Rempotage : tous les 2 ans, dans un bon terreau bonsaï, en mars-avril.

Taille et pincement : le pincement est assez délicat car les bourgeons sont très courts. Le faire avec une paire de ciseaux fins en mai. Il n'y a pas de taille à proprement parler. Supprimer les branches gênantes et ligaturer si besoin est.

Arrosage et pulvérisation : arrosage abondant, surtout si la plante se trouve en plein soleil.

Fumure - organique : poudre de corne au rempotage ou à la surface du sol au printemps.

- minérale : deux fois par mois de mai à septembre. Sans engrais, il devient jaunâtre et risque de brûler au soleil.

Parasites et maladies : au printemps, faire très attention aux pucerons blancs qui l'envahissent très rapidement. En été par forte chaleur, traiter préventivement contre l'araignée rouge qui s'installe volontiers sur l'Epicéa. Attention également à la cochenille.

Notre avis : Très bon petit conifère que l'on trouve presque partout dans toutes les tailles. Facile de reprise et facile à former, nous le conseillons sans hésiter. L'espèce japonaise type Picea jezoensis est introuvable en France en jeune plant. Elle est fort rare même au Japon.

Pinus pentaphylla (8-9 ans) en cours de formation (seconde année en coupe après culture en conteneur). Le bourrelet de greffe est nettement visible.

PINUS (Pinacées)
Pin

Description et caractères

Parmi les très nombreuses espèces de pin, un choix s'impose. Si dans son ensemble, le pin est très facile, très résistant à toutes les conditions les plus rudes (sécheresse, froid), il vaut mieux se limiter à quelques espèces ayant fait leurs preuves et qui sont :

- *Pinus pentaphylla* ou *P. parviflora,* Pin blanc, des Japonais, le plus classique et qui vieillit très bien. Pin à aiguilles groupées par 5 (d'où son nom), celles-ci d'abord longues dans leur forme de jeunesse, deviennent très petites avec l'âge et sont bleutées. C'est un pin très élégant qui se forme très bien. Il se multiplie malheureusement difficilement, principalement par greffe, d'où son prix très élevé même en jeune plant. Sur les jeunes plants, les aiguilles sont très longues (10 cm et plus). Ce n'est que sur les plants travaillés plusieurs années que les aiguilles sont réduites (2 à 4 cm).

- *Pinus nigra* est le Pin noir à aiguilles groupées par 2 à la gaine. Les Japonais connaissent et travaillent la variété "Thunbergii" à la remarquable écorce crevassée et aux aiguilles longues et noires. Cette variété rare est quasi introuvable chez nous en jeune plant. Par contre, le Pin noir d'Autriche très courant peut servir à former des sujets intéressants.

- *Pinus pumila* (ou *P. mugo pumilo)* et *Pinus mugo* "Mughus" (ou *P. montana* "Mughus") sont deux espèces assez voisines, de forme naturelle naine et prostrée, la première étant plus petite et plus intéressante à travailler. Très courante, on peut trouver en pépinière de vieux sujets très intéressants à former. C'est un pin à 2 aiguilles.

Exigences

Situation : le Pin aime le plein soleil et les situations arides. Il craint les excès d'eau qui le font jaunir et les situations ombragées.

Sol : de neutre à calcaire, assez indifférent, en fait. Sa très grande rusticité en fait le conifère de choix.

Soins de culture

Rempotage : au printemps (mars), tous les 3-4 ans, dans un mélange neutre, faiblement argileux.

Taille et pincement : pincer les bourgeons aux 2/3 de leur longueur en mai-juin suivant leur stade de développement et avec l'ongle. Tailler si nécessaire au moment du rempotage.

Arrosage et pulvérisation : craint l'excès d'eau. Arrosages réguliers, mais sans excès. Pas de pulvérisation.

Fumure - organique : poudre de corne au rempotage ou en surface au printemps.

      - *minérale :* indispensable ; une fois par mois de mai à septembre.

Pinus pentaphylla (3-4 ans) dans sa forme juvénile, avec de longues aiguilles.

Pinus mugo pumilo à gauche et Pinus montana à droite, âgés de 3 à 4 ans.

Parasites et maladies : craindre la rouille sur les aiguilles par arrosages trop abondants. Parfois un peu de pucerons blancs et surtout une chenille qui broute les jeunes pousses au mois de juin.

Notre avis *: Le Pin ne doit pas manquer dans une collection. Avec l'érable et le bambou, c'est l'un des trois symboles du Japon. Sans problème de culture ni de formation, il est intéressant par ses formes et ses plateaux d'aiguilles en bout de branche.*

Attention ! Le Pin perd ses aiguilles de 2 ou 3 ans au mois d'octobre. Ne pas s'inquiéter si une partie des vieilles aiguilles jaunit et tombe. C'est tout à fait naturel. Ne pas forcer sur l'arrosage à cette période, mais laisser la plante durcir et se préparer pour l'hiver.

Par ailleurs, tous les pins vivent en symbiose (c'est-à-dire en association) avec un champignon qui s'installe sur les racines et qui se présente sous forme d'un feutrage blanc à odeur de champignon. Cela est tout à fait normal et il ne s'agit en aucun cas d'une maladie cryptogamique.

Par contre, il peut arriver que de véritables colonies de pucerons d'aspect farineux s'installent sur les racines et parasitent le pin. Dans ce cas, il faut traiter avec un produit à base de Lindane ou avec du Disyston.

TAXODIUM distichum (Taxodiacées)
Cyprès chauve de Virginie

Description et caractères

Originaire de Virginie, c'est un conifère de marais, au feuillage fin, vert clair, caduque qui rappelle en plus petit le Metasequoia. Le feuillage prend une belle couleur rousse en automne avant de tomber. Un caractère de cette plante est l'aptitude des racines à développer des "pneumatophores" qui leur permettent de respirer en milieu très humide. C'est un conifère à planter dans une coupe sans trou, à condition de ne pas le maintenir en permanence dans l'eau.

Cyprès chauve (3 ans).

Exigences

Situation : il supporte le plein soleil à condition de ne jamais manquer d'eau, même en excès, ce qui lui serait fatal.

Sol : argileux neutre.

Soins de culture

Rempotage : tous les 3 à 4 ans. Vivant en milieu très humide, il n'a pas besoin d'être rempoté souvent. Période : mars-avril.

Taille et pincement : de croissance assez rapide, il a besoin d'être pincé très régulièrement jusqu'au mois d'août comme le Metasequoia, les bourgeons se reformant sur les jeunes pousses ou sur le vieux bois au fur et à mesure de la taille.

Arrosage et pulvérisation : plus qu'abondant. Ce n'est pas une plante aquatique, mais un arbre de marais qui demande beaucoup d'eau. On peut pulvériser le feuillage, mais ce n'est pas indispensable.

Fumure - organique : poudre de corne au rempotage ou à la surface de la terre au printemps.

      - minérale : une fois par mois de mai à août.

Parasites et maladies : néant.

> **Notre avis :** *Plante très intéressante qui ne fait pas partie des classiques japonais, mais qu'importe. Ses petites feuilles, sa croissance rapide, son aptitude à la culture très humide, en font une plante à rechercher. On le trouve d'ailleurs facilement en pépinière et à moindre prix.*

TAXUS cuspidata (Taxacées)
If

Description et caractères

L'If bien connu de nos haies est un conifère qui se prête admirablement à toutes les tailles et à toutes les formes. L'espèce *Taxus cuspidata* d'origine japonaise a servi très tôt dans son pays à la formation en bonsaï, bien qu'il ne soit pas très couramment utilisé à cette fin. Dans sa variété "nana", les aiguilles sont plus petites, vert foncé, persistantes. Son fruit est une baie rouge, charnue.

Exigences

Situation : l'If supporte toutes les situations du soleil à la mi-ombre. Mais on a intérêt pour lui conserver des pousses petites, à le mettre en situation bien exposée au soleil.

Sol : assez indifférent quant à la nature du sol, il pousse aussi bien sur un vieux mur calcaire que dans un terreau acide.

Soins de culture

Rempotage : tous les 2 à 3 ans, au printemps avant le démarrage de la végétation (mars-avril). Supprimer les vieilles racines.

Taille et pincement : l'If fait 2 pousses, une au printemps, une en été. Réduire les pousses à la longueur souhaitée. L'intérêt de l'If est sa capacité à émettre des bourgeons sur le vieux bois, ce qui est assez rare chez le conifère. On peut donc rattraper une taille mal faite.

Arrosage et pulvérisation : arrosage modéré. L'If craint les excès d'eau et supporte un petit coup de sécheresse. Pulvériser le feuillage.

Fumure - organique : poudre de corne au rempotage ou à la surface de la terre au printemps.

      - minérale : une fois par mois de mai à septembre.

Parasites et maladies : l'If est malheureusement assez sensible à nombre de parasites, cochenille, araignées rouges par temps sec, pucerons. Ces parasites fabriquent un miellat sur lequel se développe un champignon noir, la fumagine. Traiter préventivement.

Taxus cuspidata adpressa greffé (6-8 ans) issu d'un conteneur. Il ne fructifie qu'à partir de 4-5 ans et n'est en coupe que depuis 2 ans.

> **Notre avis :** *L'If est une plante moyennement intéressante. Sa variété T. cuspidata "nana" est greffée et coûte fort cher. Nous conseillons de prélever des petits Ifs qui poussent un peu partout dans les parcs et de s'entraîner de cette façon à la confection de bonsaï.*

Pittosporum tennuifolium variegatum (7-8 ans).

LES PLANTES MEDITERRANEENNES

A quelques exceptions près comme le grenadier, les plantes méditerranéennes aptes à être traitées en bonsaï sont à feuillage persistant. Si elles supportent parfaitement d'être en plein air en été, voire même en plein soleil, elles exigent une protection hivernale, dans un endroit abrité pour les zones côtières ou méridionales, en serre froide hors gel pour les zones à climat plus rude. Cette précaution est indispensable, mais elle permet d'élever et de conserver des plantes absolument remarquables qui se prêtent parfaitement à la formation en bonsaï. Habituées par ailleurs aux conditions de sécheresse du sol et du climat, elles supporteront mieux que d'autres un oubli d'arrosage et un volume de terre réduit.

Par leur côté un peu exotique, elles apportent un parfum de vacances, sans toutefois avoir ce caractère un peu artificiel des plantes à bonsaï d'origine tropicale.

Les techniques culturales sont à peu près semblables pour toutes les espèces. Arrosage régulier et sans excès, bon drainage, fertilisation régulière, taille et pincement en cours de végétation.

En hiver, respecter impérativement un repos de végétation en réduisant les arrosages et en ne mettant pas les plantes dans une pièce chauffée où elles continueraient à pousser et s'étioleraient tout en s'épuisant.

Olivier en fleurs en juillet (6-7 ans).

ARBUTUS unedo (Ericacées)
Arbousier, Arbre aux fraises

Description et caractères

Originaire d'Amérique, cet arbuste s'est répandu dans le Midi de la France et est très apprécié par son feuillage persistant, sa floraison blanche et ses fruits rouges en forme de fraise. Il fleurit en automne ou au printemps.

Exigences

Situation : il supporte notre climat, mais il faut l'abriter en hiver en régions côtières et lui réserver une place en serre froide sous climat plus rude. Il aime le plein soleil qui donne aux pétioles des feuilles une jolie teinte rouge.

Sol : contrairement aux azalées, ce n'est pas une plante spécifique de terre de bruyère et il supporte un sol un peu calcaire.

Arbousier (3-4 ans).

Soins de culture

Rempotage : la première mise en coupe doit se faire en fin d'hiver, car la plante est persistante et il faut éviter de lui supprimer une partie des racines à l'automne. La plante doit être rempotée tous les 2 ou 3 ans en fin d'hiver, dans un mélange normal pour bonsaï avec un peu de corne.

Taille et pincement : sont confondus et se pratiquent en cours de végétation sur 2 yeux, de mai à août.

Arrosage et pulvérisation : l'Arbousier ne craint pas la sécheresse, mais un arrosage régulier est nécessaire. Eviter les excès de pulvérisation qui provoquent des taches noires d'origine bactérienne sur le feuillage.

Fumure minérale : en cours de végétation de mai à août, un arrosage à l'engrais tous les 15 jours.

Parasites et maladies : on peut parfois trouver quelques pucerons sur les pousses tendres, mais c'est surtout la maladie bactérienne des taches noires qui est à craindre, car sans remède efficace.

> **Notre avis :** *Plante intéressante, tant par son feuillage que par son port. Ne pas la planter dans une coupe trop petite ce qui limiterait son développement.*

Cassia (3 ans) en culture.

CASSIA corymbosa = C. floribunda
(Légumineuses)
Cassia

Description et caractères

Arbuste à floraison jaune vif et à feuillage composé, il se transforme en bonsaï sans grande difficulté et son intérêt réside à la fois dans son feuillage persistant et dans sa floraison jaune éclatante.

Exigences

Situation : très ensoleillée en été, il supporte les plus grosses chaleurs.

Sol : indifférent, mais à tendance calcaire comme la plupart des Légumineuses.

Soins de culture

Rempotage : en avril, dans un terreau bonsaï, tous les 2 ans.

Taille et pincement : lui donner sa forme au moment du rempotage. Sa croissance est limitée, d'autant plus que son abondante floraison sur les pousses terminales freine son développement. Pincer si nécessaire.

Arrosage et pulvérisation : maintenir humide mais sans excès. Un manque d'eau est visible au flétrissement, mais se rattrape par pulvérisation.

Fumure minérale : tous les 15 jours en été.

Parasites et maladies : parfois des pucerons sur les jeunes pousses.

> **Notre avis :** *Une floraison jaune aussi éclatante est rare. Pourquoi ne pas en profiter ?*

CHOISYA ternata (Rutacées)
Oranger du Mexique

Description et caractères

On trouve rarement le Choisya dans les plantes à bonsaï et c'est bien dommage, car c'est une plante bien jolie avec son feuillage persistant, vert clair, trilobé. Son bois est vert ; sa floraison blanche et odorante est absolument remarquable en juin-juillet, et lorsqu'il est régulièrement taillé, en automne.

Exigences

Situation : le Choisya craint le grand soleil en été et veut une situation abritée en hiver en zone côtière, sous abri ou en serre froide ailleurs.

Sol : il demande un sol léger, mais frais et bien drainé. Indifférent quant au calcaire.

Soins de culture

Rempotage : la première mise en coupe se fait en fin d'hiver, le rempotage tous les 2 ans environ. Les racines étant assez charnues, éviter de trop les blesser. Un bon terreau à bonsaï (pH neutre) convient très bien.

Taille et pincement : la floraison étant en juin, attendre la fin de celle-ci qui est remarquable pour supprimer les rameaux défleuris et tailler assez court, en taille de formation. Par la suite, reprendre la taille sur 2 yeux sur les rameaux ayant démarré. Cette seconde taille favorisera une seconde floraison en automne (septembre-octobre). Tailler avant l'hiver pour supprimer les branches défleuries et mettre la plante en repos de végétation jusqu'au printemps où elle redémarrera.

Arrosage et pulvérisation : le Choisya craint un peu le dessèchement, mais s'il supporte un petit oubli d'arrosage, la pulvérisation du feuillage favorise l'éclat de sa verdure.

Fumure minérale : elle est d'autant plus nécessaire que le Choisya est une plante qui fleurit, donc qui nécessite un apport régulier d'engrais en cours de végétation. Une fois par semaine de juin à septembre.

Parasites et maladies : il n'y a rien à noter de particulier, faire attention aux pucerons et aux cochenilles.

> **Notre avis :** *Très remarquable plante, facile, décorative, intéressante. Dommage qu'elle soit si peu connue.*

Oranger du Mexique (3-4 ans), plante trop méconnue.

CISSUS striata (Vitacées)
Vigne d'appartement

Description et caractères

Cette plante sarmenteuse possède tous les caractères d'une vigne à vin, mis à part sa taille réduite et surtout son ravissant feuillage panaché. Elle émet des sarments colorés de rose et a des vrilles. Comme toutes les vignes sa sobriété est grande, et elle craint un excès d'eau. On obtient très rapidement de très jolis ceps ligneux aux racines apparentes. Elle perd ses feuilles en hiver.

Cissus striata (4-5 ans) dont il ne reste que le cep en hiver.

Exigences

Situation : du fait de la panachure du feuillage, cette vigne craint le grand soleil qui brûlerait les plages blanches des feuilles. Lui réserver des emplacements exposés au soleil du soir en évitant le soleil de midi.

Sol : peu exigeante, la vigne craint cependant les sols trop compacts et l'excès d'humidité.

Soins de culture

Rempotage : tous les 3 à 4 ans seulement, en avril, un rempotage plus fréquent favorisant une croissance exagérée des sarments.

Taille et pincement : la taille se pratique au courant de l'hiver, comme pour la vigne sur 2 yeux, mais le pincement est très important, car la coissance étant rapide, il faut éviter un allongement excessif des rameaux. Pincer comme la vigne sur 2 yeux lorsque la branche atteint 4 à 5 feuilles.

Arrosage et pulvérisation : arrosage régulier mais sans excès. On peut pulvériser le feuillage sans trop craindre de maladie cryptogamique, la plante étant peu sensible.

Fumure minérale : régulière tout l'été tous les 15 jours, voire tous les 8 jours en juillet, au moment de la pleine croissance.

Parasites et maladies : peu sensible aux maladies, il faut éviter les excès de pulvérisation. Les cochenilles peuvent se loger dans le cep où elles ne sont pas toujours visibles. Traiter préventivement au disyston.

> **Notre avis :** *Très intéressante plante décorative que l'on trouve malheureusement rarement dans le commerce, chez les fleuristes ou les horticulteurs.*

FUCHSIA (Oenothéracées)
Fuchsia

Description et caractères

Le Fuchsia a ses lettres de noblesse depuis longtemps dans l'horticulture française et le nombre de variétés (plus de 1 000) offre un choix important. Car c'est par sa floraison que le Fuchsia est absolument remarquable ; qui ne connaît pas sa fleur en clochette, en général bicolore, qui s'épanouit tout l'été. C'est d'ailleurs ce qui fait son charme en bonsaï, car il se lignifie très bien et porte ses fleurs sur de courts rameaux.

Exigences

Situation : vivace en Bretagne où on le trouve en pleine terre, le Fuchsia supporte le soleil, mais il vaut mieux lui éviter les expositions au soleil de midi. Il faut le rentrer dès les premières gelées dans un local à l'abri du froid. Caduque, il perd ses feuilles en hiver et supporte de ce fait un local assez obscur.

Sol : un sol riche, bien drainé est nécessaire.

Soins de culture

Rempotage : le Fuchsia est assez gourmand et si l'on veut obtenir une floraison abondante, il est nécessaire de lui fournir une fertilisation régulière et de le rempoter tous les 3 ans dans un terreau bonsaï.

Taille et pincement : la taille se pratique à la fin de l'hiver sur le vieux bois bien lignifié. Tailler court en ne conservant que quelques rameaux sur le tronc. Les pincements seront réguliers sur 2 yeux, de juin à août jusqu'à l'apparition des boutons à fleurs. Lorsque le Fuchsia est en pleine fleur, réduire les pincements.

Fuchsia (3-4 ans) en coupe de culture.

Arrosage et pulvérisation : le Fuchsia demande une humidité constante et une ambiance fraîche. Arroser régulièrement et pulvériser le feuillage.

Fumure minérale : elle est très importante pour entretenir une belle floraison et un feuillage sain. Une fois par semaine de juin à septembre avec un engrais liquide. Saupoudrer de corne torréfiée le terreau.

Parasites et maladies : le grand parasite du Fuchsia est l'aleurode ou mouche blanche qui s'installe en colonie sous les feuilles et contre laquelle il est difficile de lutter. Le seul moyen efficace et préventif est d'installer le Fuchsia dans un endroit très aéré. Attention aux pucerons sur les jeunes pousses et aux araignées rouges par temps sec.

> **Notre avis :** *Plante intéressante par sa floraison. Facile à multiplier par bouture et facile d'entretien. Pourquoi ne pas essayer, d'autant plus qu'on la trouve facilement ? Choisir de préférence des variétés à petites fleurs.*

Géranium zonal (8-9 ans).

GERANIUM (Pelargonium zonale)
(Geraniacées)
Géranium

Description et caractères
Citer le Géranium parmi les plantes à bonsaï peut paraître incongru pour le véritable amateur. Néanmoins, certaines variétés naines de Géranium zonal (à feuilles rondes) et à fleurs simples se prêtent tout à fait à la mise en coupe et offrent un feuillage ravissant et une floraison éclatante. Leur tronc noueux vaut bien celui de maintes espèces à bonsaï beaucoup plus banales.

Exigences
Situation : il aime les situations claires et ensoleillées, très aérées. Lui éviter le gros soleil d'été cependant en plein midi qui brûlerait les fleurs et nuirait à sa végétation.

Sol : indifférent quant à la nature du sol, il demande une terre assez riche, mais craint les excès d'humidité.

Soins de culture
Rempotage : tous les ans en mars. Ne pas hésiter à mettre les racines complètement à nu, les tailler, et rempoter dans un terreau bonsaï, enrichi en corne torréfiée.

Taille et pincement : en cours de végétation supprimer les rameaux inutiles qui pourront d'ailleurs être bouturés sans problème.

Arrosage et pulvérisation : arrosage régulier par temps chaud surtout, en évitant les excès d'eau. Le Géranium craint les pulvérisations sur le feuillage.

Fumure - organique : poudre de corne au printemps sur la terre.

- minérale : comme le Fuchsia, le Géranium a besoin d'une fertilisation régulière de juin à septembre, une fois par semaine.

Parasites et maladies : le Géranium craint l'excès d'eau qui amène soit la rouille sur le feuillage, soit des maladies bactériennes incurables. Attention aux pucerons et aux araignées rouges par temps sec.

> **Notre avis :** *Pour ceux qui aiment les fleurs et veulent fleurir leur balcon ou leur coin bonsaï, il ne semble pas ridicule d'essayer, d'autant que c'est sans risque et sans frais.*

GREVILLEA asplenifolia (Proteacées)
Grévillea

Description et caractères
D'origine australienne, le Grévillea est un arbre à feuillage fin, découpé, rappelant une fougère, persistant. Utilisé de temps à autre pour la mise en bonsaï, c'est une plante originale qui doit figurer dans les collections.

Exigences
Situation : parfaitement adaptée au climat méditerranéen où on l'utilise comme arbuste, elle doit passer l'été dehors où elle ne craint pas le soleil mais il faut l'abriter en hiver.

Grévillea (3-4 ans).

Sol : absolument indifférent quant à la nature du sol, un bon terreau bonsaï lui convient très bien.

Soins de culture

Rempotage : tous les 2 à 3 ans. La plante a un bon système radiculaire. Tailler les racines en même temps que le feuillage.

Taille et pincement : la taille se pratique en mars, en même temps que le rempotage. La croissance étant assez rapide, pincer les rameaux sur 2 yeux en cours de végétation lorsque le rameau a 4-5 feuilles.

Arrosage et pulvérisation : le Grévillea aime l'eau. Eviter les excès, mais ne pas oublier de l'arroser. Il ne craint pas d'être pulvérisé.

Fumure - organique : poudre de corne au printemps sur la motte.

    - minérale : deux fois par mois de juin à août avec un engrais liquide.

Parasites et maladies : A part les pucerons qui s'installent sur les jeunes rameaux, il n'y a pas de parasites notables ni maladies sur le Grévillea.

> **Notre avis :** *Plante de collection intéressante et facile à trouver chez presque tous les horticulteurs. Prendre l'espèce G. asplenifolia.*

JACARANDA mimosaefolia (ou ovalifolia) (Bignoniacées) Jacaranda

Description et caractères

Originaire du Brésil, le Jacaranda n'est pas un classique du bonsaï, mais il est parfois mentionné dans certains ouvrages. Et il le mérite. Très décoratif par son feuillage fin, composé d'une multitude de petites folioles, il n'a malheureusement pas de chance de fleurir, bien que sa floraison à l'état naturel soit remarquable. Il est semi-persistant, c'est-à-dire qu'il conserve une partie de son feuillage l'hiver, s'il ne subit pas de coup de froid.

Exigences

Situation : arbre de 4 à 5 mètres, il est parfois planté dans le Midi en situation très abritée. Pratiquement c'est une plante qu'il faut hiverner en serre froide et qui supporte très bien les expositions ensoleillées et aérées. Eviter cependant le grand soleil d'été.

Sol : il prospère dans un sol neutre et est sans problème, à condition d'être bien drainé.

Soins de culture

Rempotage : en avril, avant le départ de la végétation tous les 2 ou 3 ans, dans un bon terreau bonsaï. Ajouter un peu de corne.

Taille et pincement : la croissance est rapide. Il faut pratiquer 2 ou 3 pincements au cours de l'été sur 2 paires de feuilles (celles-ci sont opposées). Ligaturer au printemps.

Jacaranda (7-8 ans) ayant été recepé ce qui provoque ces rejets multiples et gracieux donnant l'apparence d'un petit bosquet tropical.

Arrosage et pulvérisation : le Jacaranda craint le dessèchement. Maintenir le sol humide et pulvériser de l'eau sur le feuillage en été.

Fumure minérale : tous les 15 jours de juin à septembre.

Parasites et maladies : les pucerons s'installent souvent sur les jeunes pousses tendres.

> **Notre avis :** *Plante vraiment intéressante, facile et gracieuse. On la trouve parfois en jardinerie ou dans les pépinières spécialisées du Midi de la France.*

MYRSINE Africana (Myrsinacées)
Myrsine

Originaire d'Afrique et de Chine, la Myrsine est un petit buisson semblable au buis, mais à feuilles rondes et luisantes et qui se prête parfaitement à la mise en bonsaï. Son feuillage persistant et ses petites fleurs sont très attrayants.

Il se traite comme la Myrte.

$\rightarrow$

Un des mérites de la Myrte, une abondante floraison blanche en été.

Myrsine (3 ans), est un concurrent du buis, mais bien plus intéressant.

MYRTUS communis (Myrtacées)
Myrte commune

Description et caractères

Très voisine de la Myrsine, la Myrte est un arbuste spontané dans le Midi de la France, au feuillage fin, persistant et à la ravissante floraison blanche en été. La Myrte se prête très bien à la confection de bonsaï, du fait de ses petites feuilles et de son bois fin et noueux.

Exigences

Situation : Myrsine et Myrte sont des plantes parfaitement adaptées au climat méditerranéen mais qu'il faut hiverner en climat plus rude. Elles demandent le grand soleil pour conserver un aspect trapu et vigoureux.

Sol : la Myrsine est assez indifférente sur la nature du sol, alors que la Myrte demande plutôt une terre de bruyère plus acide.

Soins de culture

Rempotage : en avril avant le démarrage de la végétation. Veiller à ne pas défaire entièrement la motte et tailler le feuillage pour limiter l'évaporation.

Taille et pincement : fréquents sur la Myrte, à 2 yeux, moins sur la Myrsine.

Arrosage et pulvérisation : arroser régulièrement en été, bien que les plantes soient résistantes à la sécheresse. La pulvérisation n'est pas nécessaire sur le feuillage.

Fumure minérale : deux fois par mois de mai à août. Réduire avant l'automne.

Parasites et maladies : un peu de pucerons blancs sur la Myrsine mais rien de notable sur la Myrte.

> **Notre avis :** *Deux petites plantes intéressantes pour ceux qui veulent s'entraîner dans le bonsaï miniature. La Myrsine est relativement rare, alors que la Myrte est une plante indigène dans le Midi.*

NANDINA domestica (Berberidacées)
Bambou de la Félicité

Description et caractères

Originaire de Chine et du Japon, il n'est pas étonnant qu'il figure parmi les classiques chinois du bonsaï d'autant qu'il symbolise le bonheur. Il ressemble un peu par ses feuilles au bambou mais la comparaison s'arrête là. Par la taille, on arrive à former un véritable tronc. Un des caractères du Nandina est sa floraison en juin-juillet suivie d'une fructification orange. Les feuilles sont persistantes, changent de couleur en automne et deviennent rouges.

Nandina (7-8 ans).

Exigences

Situation : il faut lui éviter le très grand soleil qui risque de brûler son feuillage et de dessécher la terre.

Sol : il demande une terre fraîche, argileuse légèrement acide.

Soins de culture

Rempotage : tous les deux ans dans une terre argileuse.

Taille et pincement : la croissance étant assez capricieuse, pincer en été les rameaux qui pousseraient trop rapidement. Il n'y a pas de taille hivernale à proprement parler, mais il importe de maintenir la plante sur un tronc assez court.

Arrosage et pulvérisation : le Nandina craint le dessèchement. Ne pas hésiter à bassiner et à maintenir le sol régulièrement humide.

Fumure minérale : une fois par semaine de mai à août avec un engrais liquide.

Parasites et maladies : il y a peu de parasites. Attention à la cochenille et aux pucerons sur les jeunes pousses.

> **Notre avis :** *Plante intéressante par son aspect esthétique, qui devrait figurer dans toute collection même petite. Sa culture ne présente pas de difficultés majeures. C'est plutôt sa rareté dans le commerce qui rend son acquisition difficile.*

OLEA Europea (Oleacées)
Olivier

Description et caractères

Symbole de paix, l'Olivier est un arbre du bassin méditerranéen qui ne figure pas dans l'inventaire japonais. Et cependant, il fait de beaux bonsaïs soit en partant d'un jeune plant, soit d'un morceau de souche de laquelle partiront des rejets. Qui ne connaît l'Olivier avec ses feuilles gris-vert, son bois gris à l'état jeune, noir à l'état adulte et ses fruits qu'il n'est pas si difficile d'obtenir sur un plant même jeune.

Olivier de semis à petites feuilles (5-6 ans). Peu de chance d'avoir des fruits sur cet exemplaire.

Exigences

Situation : l'Olivier aime le soleil et supporte des températures descendant à - 5°. Il faut cependant l'hiverner dans un local frais, lumineux et hors gel. Bien observer un repos de végétation en hiver et le sortir dès le mois de mai.

Sol : relativement indifférent, tous les sols lui conviennent. Il supporte la sécheresse, mais ne dédaigne pas un bon arrosage. Un bon drainage est nécessaire.

Soins de culture

Rempotage : tous les 3 ans dans un mélange bonsaï type. Ne pas trop toucher aux racines car l'Olivier est assez sensible de ce côté ; changer la terre extérieure à la motte sans défaire le pain de racine.

Taille et pincement : la taille de formation se pratique avant le démarrage de la végétation en avril, le pincement est à suivre sur 2 yeux lorsque les branches ont atteint 6 à 7 paires de feuilles au cours de l'été jusqu'en août. On peut ligaturer tout l'été.

Arrosage : l'olivier supporte la sécheresse mais préfère en alternance un bon arrosage suivi d'une période sèche. Ne pas pulvériser.

Fumure minérale : tous les 15 jours en été de mai à août, avec un engrais.

Parasites et maladies : il n'y a pas de parasites sur l'Olivier. Attention à l'excès d'eau de façon continue.

> **Notre avis :** *Plante intéressante que l'on trouve facilement dans le Midi. On en trouve de tout prêts en bonsaï, mais hors de prix, sans aucune justification. On peut également en prélever de très beaux dans la nature, mais ce ne sont que les variétés à fruits commercialisées en jeunes plants qui risquent de fructifier.*

Olivier (6-7 ans) issu de bouture et couvert de fruits. Pour la floraison, voir page 125.

PISTACHIA lentiscus (Anacardiacées)
Pistachier, Lentisque, Thérébinthe

Description et caractères

Avec l'Olivier et la Myrte, le Pistachier est l'une des plantes du Midi que l'on retrouve fréquemment en magasins travaillées en bonsaï. Classée à tort bonsaï d'intérieur, c'est une plante qui veut être dehors l'été et qui supporte sécheresse et grand soleil. Ses feuilles composées, brillantes, lui donnent un aspect à la fois exotique et robuste.

Pistachier (3-4 ans).

Exigences

Situation : supporte le plein soleil et les conditions rudes de la garrigue ; à protéger en serre froide l'hiver.

Sol : terre pauvre, de préférence acide, très bien drainée.

Soins de culture

Rempotage : en mars-avril avant le départ de la végétation, tous les 4 à 5 ans seulement, dans une terre à bonsaï allégée avec de la terre de bruyère. Bon drainage.

Taille et pincement : en cours de végétation former la plante en pinçant, ou en taillant suivant le cas à 2 yeux.

Arrosage et pulvérisation : si la plante ne craint pas la sécheresse, un arrosage régulier ne lui fera aucun mal, à condition que la coupe soit bien drainée.

Fumure minérale : comme la plupart des plantes du Midi, 2 fois par mois de mai à août, avec un engrais liquide.

Parasites et maladies : quelques pucerons possibles sur les jeunes pousses.

> **Notre avis :** *Plante agréable et simple à cultiver. On la trouve difficilement en pépinière, mais elle pousse à l'état subspontané sur le pourtour du bassin de la Méditerranée où il est aisé d'en trouver de jeunes plants qui reprennent sans difficulté.*

PITTOSPORUM (Pittosporacées)
Pittosporum

Description et caractères

Originaire du Pacifique, on en trouve en Chine. Mais les espèces intéressantes à travailler en bonsaï sont originaires de Nouvelle Zélande. Ce sont :

- *P. tennuifolium variegatum,* à petites feuilles panachées, à bois noir et grêle, de croissance rapide ; il forme de ravissants petits arbres à feuillage persistant (voir photographie page 24).

- *P. crassifolium,* à feuilles vertes coriaces plus grandes que celles du précédent, mais à croissance plus lente.

Nous ne citons que ces deux espèces les plus intéressantes, bien que *P. tennuifolium "Green Globe",* à toutes petites feuilles, soit intéressant également.

Pittosporum crassifolium (7-8 ans) issu d'un conteneur de pépinière.

Exigences

Situation : rustiques dans le Midi de la France et sur les côtes océanes, ailleurs, ils doivent être abrités en hiver. Ils supportent très bien une exposition ensoleillée, mais pas trop chaude.

Sol : absolument indifférent quant à la nature du sol. Terreau bonsaï.

Soins de culture

Rempotage : le Pittosporum n'a pas besoin d'un rempotage fréquent : tous les 4-5 ans dans un mélange bonsaï, par contre il faudra suivre la fertilisation.

Taille et pincement : la croissance étant pratiquement continue sur *P. tennuifolium,* pincer et tailler de mars à septembre 3 à 4 fois dans l'été sur 2 yeux. *P. crassifolium* a une croissance plus lente qui ne nécessite qu'une taille au printemps.

Arrosage et pulvérisation : le Pittosporum aime l'eau. Ne pas oublier un arrosage, cause d'un flétrissement immédiat des jeunes pousses notamment sur *P. tennuifolium.*

Fumure - organique : un peu de corne torréfiée au printemps.

        - minérale : deux fois par mois avec un engrais liquide.

Parasites et maladies : il ne semble pas avoir de parasites, en dehors de quelques pucerons sur jeunes pousses.

> **Notre avis :** *Plante très intéressante et particulièrement recommandable aux néophytes. On peut trouver des jeunes plants en godets en pépinière ou des plants plus forts dans le Midi, qui permettent d'avoir tout de suite un petit arbre.*
> *A noter un Pittosporum très courant dans le Midi de la France en haies :* P. Tobira *qui peut éventuellement être traité en bonsaï.*

PUNICA granatum nana (Punicacées)
Grenadier nain

Description et caractères

Le Grenadier est un arbrisseau méditerranéen à petites feuilles vertes caduques et au bois grêle. La variété naine est intéressante pour sa facilité de formation en bonsaï et pour sa floraison estivale.

Exigences

Situation : c'est un arbre de plein air qu'il faut rentrer en hiver à l'abri du gel. Dans le Midi, il est pratiquement rustique.

Sol : indifférent quant à la nature du sol, un bon terreau bonsaï lui convient.

Grenadier nain (3 ans) à fleurs pleines (10 cm). A comparer avec celui de la page 89.

Soins de culture

Rempotage : en mars tous les 2 ans, on peut raccourcir les racines.

Taille et pincement : tailler au moment du rempotage de façon à former l'arbre. La taille influe sur la floraison. Pincer sévèrement les pousses en cours de végétation sur 2 yeux de façon à lui conserver sa forme car il a tendance à pousser en forme de hérisson. Ne plus pincer à partir de septembre pour laisser le bois durcir avant la chute des feuilles. La floraison a lieu sur les pousses de l'année.

Arrosage et pulvérisation : arroser régulièrement tout l'été. La pulvérisation ne lui fait pas de mal.

Fumure - organique : saupoudrer de la corne au printemps sur le terreau si l'on ne rempote pas.

- minérale : deux fois par mois de mai à septembre. La croissance étant rapide, la plante a besoin de nourriture.

Parasites et maladies : quelques pucerons sur les jeunes pousses.

> **Notre avis :** *Très bonne plante à bonsaï, intéressante par son feuillage fin, sa floraison et qui prend rapidement un port de petit arbre.*

→

Romarin rampant (2-3 ans).

QUERCUS ilex (Fagacées)
Chêne vert

Nous ne ferons que mentionner ici le Chêne vert que certains amateurs recherchent pour leur collection et qui est une plante typique du milieu méditerranéen. Ayant l'apparence du houx, il est de culture difficile, craignant l'excès d'eau et surtout un sol asphyxiant.

Chêne vert (3-4 ans).

ROSMARINUS officinale prostrata
(Labiées)
Romarin rampant

C'est un petit Romarin à caractère rampant, au port compact et dont le bois prend des formes particulières et tourmentées. Traité en bonsaï au même titre que le Thym ou la Sauge, il se prête fort bien à une plantation rupestre que le charme de ses fleurs violettes agrémente joliment. Il vieillit d'ailleurs très bien et acquiert un tronc respectable.

135

Ficus retusa.

LES BONSAÏS D'INTERIEUR

Sous le nom de bonsaï d'intérieur on trouve, suivant les ouvrages, des plantes les plus variées allant de l'Olivier au Cotoneaster en passant par toute une gamme de plantes vertes ou de plantes succulentes (plantes grasses).

Nous avons tenu à séparer les plantes méditerranéennes (qui sont indigènes ou rustiques dans le Midi de la France) de toute une série de plantes qui sont en fait des plantes vertes d'appartement, traitées en bonsaï, souvent avec bonheur, mais que le Japonais ne reconnaîtrait jamais pour tel.

Peu de plantes sont susceptibles de vivre en appartement, mais se priver du plaisir d'avoir une plante ayant un caractère de bonsaï lorsqu'on n'a pas de jardin serait bien dommage. Il semble que le terme de pseudo-bonsaï convient mieux à ce genre de plantes traitées de la sorte, car on est en fait loin de l'arbre miniaturisé d'origine locale répondant aux critères du Japonais. Le bonsaï d'intérieur répond d'ailleurs plus à une mode qu'à un réel besoin. Il n'intéresse en général que peu le véritable amateur chevronné qui ne retrouve pas l'arbre de la nature qui l'entoure.

Carmona (3-5 ans).

AEONIUM (Crassulacées)
Aeonium

Description et caractères

Il ne s'agit pas là d'une plante à bonsaï à proprement parler, mais par son port original arborescent, ses racines aériennes, elle prend un air étrange avec ses rosettes de feuilles en artichaut, situées au bout de rameaux tortueux. Plante grasse, ses exigences sont faibles.

Exigences

Situation : plante de pays chaud, l'Aeonium demande un endroit bien exposé au soleil, à défaut très lumineux. Par contre en hiver, il supporte un endroit moyennement clair, mais frais, 8-10°, et une absence presque totale d'arrosage.

Sol : un bon terreau bonsaï, à condition que le sol soit bien drainé.

Soins de culture

Rempotage : l'Aeonium est très peu exigeant. Il n'est donc pas nécessaire de rempoter fréquemment (tous les 8 à 10 ans au cours de l'été en évitant de trop défaire le pain de racines).

Taille et pincement : couper les rameaux inesthétiques. Il est possible de les bouturer en laissant la plaie sécher quelques jours. On peut ligaturer, mais éviter de brutaliser la plante. Les tiges sont fragiles.

Arrosage : le minimum en évitant de mouiller le feuillage. Une à deux fois par semaine en été. Arrêter presque totalement en hiver (1 fois par mois).

Fumure minérale : une fois par mois en été avec de l'engrais liquide.

Parasites et maladies : c'est une plante sans parasites, si ce n'est quelques pucerons. Mais attention au traitement. L'Aeonium est une plante très sensible aux produits chimiques qui laissent des traces sur son épiderme.

> **Notre avis :** *Pourquoi se priverait-on du plaisir d'un arbre sortant de l'ordinaire, mais qui en conserve quand même le caractère par son tronc et ses branches. Avec beaucoup de facilité de culture et tellement peu de soins.*

Aeonium (6-7 ans).

CARMONA microphylla (Boraginacées)
Carmona

Description et caractères

C'est l'un des classiques bonsaïs d'intérieur, cultivé en grande série en Chine et qui a littéralement envahi les vitrines des fleuristes ou les rayons des grandes surfaces. Il faut dire que c'est l'un des plus jolis aussi, mais pas toujours très facile à conserver. Les feuilles sont naturellement de petites dimensions (1 cm), rondes et légèrement dentelées, brillantes. Il fait des petites fleurs blanches qui donnent des fruits verts puis orangés.

Exigences

Situation : c'est un bonsaï d'intérieur qui supporte des températures de 20 à 25° à condition d'être bien éclairé, mais sans soleil direct. On peut éventuellement le sortir en été mais à l'ombre.

Sol : un terreau bonsaï à tendance argileuse.

Soins de culture

Rempotage : tous les 2 ans en avril. Réduire les racines, mais la plante étant à feuillage persistant, ménager une période de repos après le rempotage.

Taille et pincement : toute l'année, tailler sur 2 yeux après avoir laissé pousser les tiges sur 4-5 feuilles. On peut en profiter pour le ligaturer.

Arrosage : très régulier toute l'année. Le Carmona est sensible au dessèchement.

Carmona (5-6 ans).

Fumure minérale : deux fois par mois en été, une fois par mois en hiver avec un engrais liquide.

Parasites et maladies : l'excès ou le manque d'eau peut provoquer une chute des feuilles ou des taches sur celles-ci. Parfois un peu de pucerons. Attention au traitement qui risque de brûler les feuilles.

> **Notre avis :** *Grand classique du bonsaï, sa culture n'est cependant pas toujours évidente et on peut avoir quelques déboires. On se laisse souvent tenter par une plante attirante par son aspect de petit arbre d'intérieur mais dont le prix est totalement surfait.*

CRASSULA et PORTULACARIA
Arbre de Jade

Description et caractères

Voici deux genres bien différents, attachés à deux familles différentes, mais presque toujours confondus, même par les spécialistes du bonsaï. Il s'agit en fait de deux plantes succulentes (ou plantes grasses) dont l'aspect est assez semblable.

CRASSULA *portulacea* (Crassulacées)

Plante à feuilles ovales, charnues opposées, de 4 à 6 cm de long, vert vif, bordées de rouge. Sa floraison n'est pas très fréquente, mais on peut parfois l'observer sur de vieux sujets. Il existe une variété à feuilles plus petites, moins vertes, mais à croissance plus lente et qui se prête mieux à la formation en bonsaï. Elle est plus rare et plus difficile à trouver.

Le nom d'espèce de ce *Crassula portulacea* provient de sa ressemblance avec le genre suivant.

PORTULACARIA *afra* (Portulacacées)

C'est une sorte de Pourpier, arborescent, originaire d'Afrique du Sud pouvant atteindre 5 mètres, même sous climat méditerranéen. Il en existe de véritables haies au Jardin Exotique de Monaco. Ses feuilles de 2 à 3 cm sont presque rondes, vert luisant, persistantes si la plante ne souffre pas de sécheresse. Elle ne fleurit pratiquement jamais.

Les deux espèces Crassula et Portulacaria sont d'excellentes plantes à bonsaï d'appartement. Leur aspect de petit arbre est très vite obtenu sans difficulté car le tronc grossit très rapidement.

Crassula (2 ans). Exemplaire à petites feuilles.

Portulacaria, bouture de 1 an, de 5 cm de haut.

Soins de culture

Rempotage : la plante peut tenir une dizaine d'années au moins sans rempotage. Mais on peut la rempoter toute l'année, sa croissance étant pratiquement ininterrompue. La plante refait ses racines sans problème, on peut donc les raccourcir, mais sans excès, car elle n'aurait plus de stabilité. En effet, c'est une plante très lourde et charnue et il faut lui choisir un pot très stable, plat, mais assez profond.

Taille et pincement : toute l'année également mais de préférence en été. On peut récupérer les pousses pour en faire des boutures qui reprennent très facilement. Enlever les feuilles du bas pour dégager le tronc. Pincer sur deux feuilles lorsque 3 à 4 paires de feuilles sont formées. La plante refait des bourgeons sur le tronc sans difficulté au cas où une branche casserait, ou lors de taille malhabile.

Arrosage et pulvérisation : c'est une plante grasse à qui il faut absolument éviter les excès d'eau qui entraînent la pourriture des racines et un noircissement des feuilles. En hiver réduire à un arrosage léger par quinzaine. Pas de pulvérisation sur le feuillage, ce qui le tacherait. Ce sont des plantes qui supportent plusieurs semaines sans arrosage ce qui pour le bonsaï est un avantage notoire.

Fumure minérale : si on ne fait pas de rempotage, apporter 1 arrosage à l'engrais liquide par mois de mai à septembre.

Parasites et maladies : il n'y a pas de parasites si ce n'est les chenilles qui s'attaquent parfois aux feuilles charnues. Eviter les excès d'eau qui entraînent une pourriture irréversible de la plante.

Notre avis : *Même si on ne peut classer les Crassula et les Portulacaria parmi les vrais bonsaïs, c'est le bonsaï d'intérieur IDEAL pour débuter. Facile, de croissance rapide, ne craignant que l'excès d'eau mais acceptant une absence et 2 à 3 semaines sans arrosage. Il n'est pas nécessaire de le rempoter souvent. A l'intérieur toute l'année ou à l'extérieur en été, que peut-on attendre de plus d'un bonsaï qui porte de surcroît le doux nom d'Arbre de Jade ?*

Exigences

Situation : ce sont des plantes qui aiment la lumière et le soleil, qui supportent très bien les conditions de l'appartement, tout en pouvant être mises dehors en été.

Deux précautions sont cependant à prendre :

- Lorsque l'on sort les Crassula ou Portulacaria, ne pas les exposer brutalement au soleil, les feuilles brûleraient. Les adapter progressivement à leurs nouvelles conditions.

- Ne pas attendre le mois d'octobre pour les rentrer. Ces plantes résistent assez bien au froid, mais elles risquent d'accuser le coup et de perdre une partie de leurs feuilles.

Sol : ce sont des plantes grasses qui demandent un sol perméable avant tout et qui craignent l'excès d'eau. A condition d'un bon drainage, un terreau bonsaï convient très bien.

EUPHORBIA balsamifera (Euphorbiacées)
Euphorbe

Description et caractères

Encore un de ces pseudo-bonsaïs qui fait la joie des amateurs et des collectionneurs. Originaire des Canaries où elle couvre la presque totalité des îles, c'est une plante amusante par son aspect de petit baobab au tronc segmenté et aux feuilles vert glauque allongées de 2 à 3 cm. Elle donne un latex blanc, un peu gênant au moment de la taille.

Exigences

Situation : ensoleillée. Elle supporte d'être à l'intérieur toute l'année, mais on peut la sortir en été en situation ensoleillée, à condition de l'adapter progressivement. En hiver, la conserver à 10-15° pour éviter une pousse trop grande des tiges.

Sol : terreau bonsaï normal, légèrement argileux.

Euphorbia balsamifera (7-8 ans). Baobab miniature.

Soins de culture

Rempotage : possible tous les 2-3 ans, toute l'année, mais de préférence après la chute des feuilles, si cela se produit ou en repos de végétation l'hiver. Bien drainer.

Taille et pincement : supprimer les branches et les pousses qui ne seraient pas en équilibre avec la plante.

Attention au latex ; l'essuyer alors qu'il est encore liquide avec un coton humide car il tache. Pas de ligature.

Arrosage : une fois par semaine en été, 1 fois par mois en hiver. Pas de pulvérisation.

Fumure minérale : une fois par mois en été avec un engrais liquide.

Parasites et maladies : néant.

> **Notre avis :** *Pseudo-bonsaï amusant, mais difficile à se procurer, sauf pour ceux qui vont aux Canaries. Rare chez les horticulteurs.*

FICUS (Moracées)
Figuier

Description et caractères

Le Ficus est un genre très vaste qui groupe une quantité d'espèces des régions chaudes. Parmi ces espèces, nous nous limiterons aux plus classiques utilisées couramment pour le bonsaï :

- ***FICUS carica***.

Figuier à fruits comestibles. C'est le seul figuier poussant à l'état spontané dans le Midi de la France et dont tout le monde connaît les fruits comestibles. Ses grandes feuilles de 10 à 20 cm en patte de canard sont caduques. C'est un arbre de taille moyenne sous nos climats mais qui peut éventuellement se traiter en bonsaï. Sa place est d'ailleurs parmi les plantes méditerranéennes, car ses exigences hivernales sont un arrêt de végétation après la chute des feuilles, entre 0 et 5°.

- ***FICUS benjamina***.

Originaire de Malaisie, c'est dans son pays un arbre immense dont le tronc peut atteindre 1 à 2 mètres de diamètre. Rustique sur le pourtour sud de la Méditerranée, il a un port légèrement pleureur et des feuilles luisantes, ovales et pointues. Il a une tendance à faire des racines aériennes. Utilisé en bonsaï, soit sous le type, soit sous ses variétés, notamment "Starlight" à feuilles panachées, il est assez difficile à conserver en appartement car très sensible aux variations de température ou d'arrosage. Compte tenu de son prix bas, il permet de s'entraîner à se constituer des forêts, notamment pour les sujets issus de culture "in vitro" touffus et branchus au départ.

- ***FICUS retusa***.

Le plus classique du genre provient du Sud-Est Asiatique. C'est le plus facile à traiter en bonsaï et il supporte les traitements les plus durs. Ressemblant au Ficus de Benjamin, ses feuilles et son port ne sont pas pleureurs et beaucoup plus coriaces (photographie page 136).

- **FICUS "Panda".**

Très jolie variété à feuilles petites, rondes, rigides, mais à croissance lente. Il est plus joli que le *Ficus retusa,* mais plus rare.

- **Autres espèces :**

Parmi les 600 espèces de Ficus, il en est certainement l'une ou l'autre qui se prête à la formation bonsaï. Il est impossible de les citer ici, et c'est au hasard d'un achat que l'on trouvera peut-être la pièce rare à traiter en bonsaï.

Ficus b. "Starlight" (1 an).

Ficus de Benjamin (6 mois) issu de culture in vitro.

Exigences

Situation : les Ficus sont en principe des plantes de plein soleil. Il leur faut donc beaucoup de lumière et beaucoup d'air, mais sans courant d'air. Eviter les écarts de température.

Sol : relativement indifférent, un terreau pour bonsaï convient.

Soins de culture

Rempotage : tous les 2-3 ans dans un terreau bonsaï, en réduisant un peu les racines. Veiller au drainage, bien que la plante demande une humidité constante.

Taille et pincement : laisser pousser à 5-6 feuilles, tailler sévèrement sur 1 à 2 feuilles de façon à constituer des plateaux. On peut supprimer les feuilles trop grandes, mais sans excès. Un suc laiteux coule des plaies. Passer le Ficus sous la douchette de la salle de bains après la taille. On profite de la taille pour ligaturer éventuellement.

Arrosage et pulvérisation : arrosage très régulier mais sans excès. C'est le point délicat du Ficus : l'excès comme le manque d'eau provoque un jaunissement et une chute des feuilles. Il supporte mieux le manque. Pulvériser régulièrement le feuillage.

Fumure minérale : très régulière au cours de l'été (2 fois par mois) et de l'hiver (1 fois par mois) en arrosage.

Parasites et maladies : le Ficus est malheureusement assez sensible à nombre de parasites. La cochenille, qu'elle soit blanche ou à carapace, qui se loge à l'aisselle des feuilles, sur la tige ou sous les feuilles, le puceron sur les jeunes pousses, l'araignée rouge en milieu très sec. Traiter régulièrement et préventivement. Il n'y a pas de maladie notoire sinon physiologique (excès d'eau).

> **Notre avis :** *Grand classique du genre, le Ficus est un de ces pseudo-bonsaïs qui a pris ses lettres de noblesse d'autant plus facilement que de très vieux exemplaires de la forêt tropicale ont pu être transformés en vénérables bonsaïs sans difficulté. Sa croissance rapide et une bonne adaptation aux conditions de l'appartement en font un bonsaï de choix.*

GARDENIA jasminoïdes (Rubiacées)
Gardénia

Description et caractères
Originaire de Chine, cette plante est traitée sans doute depuis longtemps en bonsaï. Par ses feuilles allongées (2 à 3 cm), luisantes, vertes, alternes, mais surtout par sa floraison blanche au cours de l'été, c'est une plante qui ne manque pas de charme.

Gardénia (5-6 ans).

Exigences
Situation : aime les situations claires, mais pas trop ensoleillées, bien aérées. En hiver, éviter les températures trop élevées (15 à 20° maximum).
Sol : sol humifère, légèrement acide.

Soins de culture
Rempotage : tous les 2 à 3 ans en réduisant les racines, dans un bon terreau plantes vertes. Veiller à un bon drainage.
Taille et pincement : tailler après la floraison, soit en formation sur vieux bois, soit en pincement à 2 feuilles sur les jeunes pousses.

Arrosage : éviter les arrosages excessifs, maintenir humide en réduisant en hiver.
Fumure minérale : deux fois par mois de mai à septembre, si la plante paraît un peu jaune passer à une fois par semaine. Pas d'engrais en hiver.
Parasites et maladies : veiller à ce que les pucerons ne s'installent pas sur les jeunes pousses.

> **Notre avis :** *Plante assez rare en bonsaï. On trouve parfois chez les fleuristes des variétés à fleurs doubles mais qui n'ont rien à voir avec l'espèce à bonsaï à fleurs simples et à développement plus faible.*

PODOCARPUS macrophyllus
(Podocarpacées)
Podocarpus - Pin des bouddhistes

Description et caractères
Le Podocarpus reste un peu une plante d'initiés car on ne le connaît pratiquement que dans le milieu "bonsaï". C'est un conifère originaire de Chine et du Japon qui peut atteindre une grande taille dans son pays d'origine. On ne le connaît pratiquement qu'en bonsaï. Il ressemble un peu à un if avec de grandes aiguilles de 5 à 10 cm de long sur 0,8 à 1 cm de large. Contrairement à l'if, qui fructifie aisément, il ne fructifie pas en bonsaï.

Podocarpus (6-7 ans).

Exigences

Situation : c'est le seul conifère qui supporte les conditions intérieures avec une température de 15 à 20° en hiver. On peut éventuellement le sortir en été. Mais il ne supporte en aucun cas le soleil direct.

Sol : il demande un sol équilibré, légèrement acide. Un terreau bonsaï mélangé à un terreau plante verte.

Soins de culture

Rempotage : tous les 3 à 4 ans en ne touchant pas aux racines qui sont assez charnues comme celles de l'if. Veillez au drainage.

Taille et pincement : on peut tailler sur vieux bois pour la formation et en profiter pour ligaturer si c'est nécessaire. Pincer les jeunes pousses, mais attendre qu'elles aient atteint une certaine longueur (5 à 6 cm).

Arrosage : maintenir toujours faiblement humide le sol à longueur d'année. Eviter les excès.

Fumure minérale : régulière en été (2 fois par mois), plus réduite (1 fois par mois) en hiver, la croissance étant continue.

Parasites et maladies : tous ceux du Taxus, à savoir cochenilles et pucerons. Mais rares sur une plante en bonne santé.

> **Notre avis :** *Pourquoi ne pas profiter du seul conifère qui tienne à l'intérieur. Son port est gracieux, et son entretien facile.*

POLYSCIAS (Araliacées)
Aralia

Description et caractères

On trouve dans la famille des Aralia (famille du Lierre) un certain nombre de plantes très voisines les unes des autres et dont les besoins sont à peu près identiques. Nous les traiterons de façon groupée en signalant au passage la spécificité de l'une ou l'autre plante.

- ***ARALIA elegantissima*** variété Castor, autre nom : *Dizysgotheca elegantissima.*

Cette plante verte courante n'a strictement rien d'un bonsaï, bien qu'elle soit parfois présentée comme tel. Ses feuilles composées, brunâtres sont originales, s'étagent le long du tronc et rappellent un peu le Grevillea. On peut parfois trouver chez les horticulteurs de vieux exemplaires que l'on peut tranformer en bonsaï.

- ***POLYSCIAS fruticosa***

Bien qu'originaire de Polynésie, on l'appelle aussi l'Aralia Ming, cette petite connotation chinoise lui donnant un air d'authenticité. Son feuillage peut être soit penné, soit profondément découpé. Ses tiges noueuses ont un peu l'aspect d'un candélabre déformé.

- ***SCHEFFLERA arboricola***

Originaire d'Australie, on l'appelle aussi l'Arbre ombrelle du fait de ses feuilles composées de 10 à 12 folioles, vert tendre, assez épaisses. Sa croissance est assez rapide ce qui permet d'obtenir par taille succesive une souche épaisse couverte de rejet. Le Schaefflera est très robuste, à condition de lui éviter un excès d'eau et il peut se monter sur rocher où du fait de ses racines apparentes, il prend de bien curieuses formes.

Exigences

Situation : ce sont des plantes d'intérieur qui aiment la lumière et l'air, mais qui supportent à l'occasion d'être mises à l'extérieur l'été. Elles passent relativement bien l'hiver à une température de 20°.

Sol : humifère et sableux, perméable. Les plantes de cette famille craignent par-dessus tout l'excès d'eau. Un bon terreau bonsaï auquel on ajoutera un peu de sable et de terreau plante verte (proportion 1-1-1).

Schefflera arboricola (3 ans). Seule une taille régulière finit par lui donner un tronc vénérable.

Polyscias Balfouriana Marginata
(3-4 ans).   Aralia Ming (3-4 ans).

Soins de culture

Rempotage : tous les 2-3 ans avec réduction des racines en avril. S'assurer d'un bon drainage.

Taille et pincement : la végétation étant continue, on peut tailler les jeunes pousses suivant son goût de façon à former une souche trapue sur Schaefflera ou un tronc élancé sur Polyscias. Il est impossible de les ligaturer, le tronc étant cassant et trop charnu.

Arrosage et pulvérisation : point faible de ces genres, un besoin d'humidité assez fort et la crainte d'un sol trop humide. Limiter l'arrosage, sans toutefois laisser trop dessécher la plante. Par contre pulvériser abondamment et fréquemment le feuillage.

Fumure minérale : deux fois par mois en été, une fois en hiver avec un engrais liquide.

Parasites et maladies : sensibles à de nombreux parasites : pucerons sur les jeunes pousses, araignées rouges en milieu sec, cochenilles farineuses ou à carapace. Traiter, mais avec précaution car les plantes sont assez sensibles aux produits, surtout Polyscias.

> **Notre avis :** _Ces pseudo-bonsaïs sont intéressants parce qu'on peut facilement les trouver dans le commerce à un prix abordable. En évitant l'excès d'humidité on arrive facilement à les conserver. Choisir de préférence le Schefflera qui est le plus facile et le plus intéressant._
> _Autre genre voisin : RADERMASCHERA._

SAGERETIA theezans (Rhamnacées) Sageretia

Description et caractères

Voici une petite plante originaire de Chine et qui a sans doute servi très tôt à faire des bonsaïs. Ses feuilles ovales (1 à 2 cm) vert clair, tendres, sont alternes. Son bois est décoratif. De l'avis de beaucoup, c'est une plante facile à l'intérieur et de croissance rapide.

Exigences

Situation : demande une situation claire, mais sans soleil direct. Elle supporte en hiver une température variant de 15 à 24°, mais doit dans ces dernières conditions être vaporisée régulièrement. On peut éventuellement la sortir à partir de mai à mi-ombre.

Sol : le sol d'origine est souvent très compact et argileux. C'est le cas lorsqu'on achète un Sageretia d'importation chinoise. Un bon terreau bonsaï à tendance argileuse convient donc.

Sageretia (4-5 ans).

SERISSA foetida (Rubiacées)
Neige de Juin

Description et caractères

C'est là encore un des grands classiques des petits bonsaïs. Arbrisseau à bois grêle, aux feuilles petites (1 cm), luisantes, à odeur fétide (d'où son nom), il a pour particularité de se couvrir de fleurs blanches en juin, mais cette floraison se prolonge sporadiquement tout au long de l'année. C'est un excellent bonsaï d'appartement qui se travaille très facilement, mais qu'il faut éviter de déplacer.

Exigences

Situation : claire et lumineuse toute l'année, à condition d'éviter le soleil direct. Supporte en hiver des températures inférieures à 20°, mais éviter les variations brutales de température.

Sol : demande une terre bien équilibrée à tendance humifère. Un mélange de terreau à bonsaï et de terreau à plante verte en proportion égale est bon.

Serissa foetida (4-5 ans).

Soins de culture

Rempotage : assez fréquents, c'est-à-dire tous les printemps en avril avant la grande végétation, dans un terreau bonsaï.

Taille et pincement : la croissance du Sageretia est rapide et ses pousses très tendres ; faire une taille de formation et ligaturage au printemps et pincer régulièrement les jeunes pousses à 2 paires de feuilles tout l'été et même en hiver.

Arrosage et pulvérisation : le Sageretia demande un degré hygrométrique élevé et une humidité constante toute l'année, d'autant plus qu'il n'y a pas de repos de végétation. Un dessèchement prolongé lui est fatal.

Fumure minérale : de mai à septembre 2 fois par mois et poursuivre en hiver 1 fois par mois, la plante ne marquant pas d'arrêt de végétation.

Parasites et maladies : attention aux pucerons et aux cochenilles.

Notre avis : *Ravissante plante à bonsaï, c'est avec le Carmona et le Serissa, un des petits bonsaïs classiques et faciles pour l'appartement. Malheureusement le prix est très souvent surfait pour des plantes d'importation sans grand caractère.*

Soins de culture

Rempotage : tous les 2-3 ans en avril en réduisant légèrement le système radiculaire. Le Serissa se contente souvent d'une toute petite coupe. Rempoter alors plus souvent.

Taille et pincement : la taille de formation très courte doit se faire en avril. Elle est nécessaire pour maintenir la plante en forme. Pincer régulièrement par la suite tout l'été à 2 paires de feuilles sur les pousses qui ont 4-5 paires de feuilles. Supprimer les fleurs fanées pour prolonger la floraison.

Arrosage et pulvérisation : maintenir régulièrement humide car les besoins sont grands et les jeunes pousses ont vite baissé la tête par manque d'eau. Pulvériser également fréquemment. Ceci toute l'année.

Fumure minérale : en évitant les excès, 1 fois par mois toute l'année, en augmentant légèrement en cours d'été. Le Serissa craint un peu les excès d'engrais.

Parasites et maladies : un peu sensible de ce côté, suivre attentivement l'état sanitaire de la plante qui a parfois des dessèchements de branche incompréhensibles. Utiliser des produits systémiques mixtes sur le feuillage.

Notre avis : Qu'ajouter à ce grand classique, un des plus répandus et des plus attractifs par sa floraison ?

Ulmus parvifolia (5-6 ans). On notera que la couronne de cet orme est bien formée.

ULMUS parvifolia (Ulmacées)
Orme de Chine

Description et caractères

Encore un orme, mais un peu différent de ceux que nous connaissons, par ses feuilles très petites, parfois minuscules (1 à 2 mm). C'est le seul orme qui vive à l'intérieur, en précisant cependant que seuls ceux de Chine sont parfaitement adaptés à l'intérieur. Ils sont persistants, très résistants et s'il leur arrive de perdre leurs feuilles, par manque ou par excès d'eau, on peut très facilement les récupérer, en les taillant ou les remettant au régime normal.

Exigences

Situation : beaucoup de lumière toute l'année à l'intérieur, même en situation ensoleillée. On peut à la rigueur le sortir en été à mi-ombre. Il a l'avantage de supporter des variations de température assez importantes, ce qui facilite l'hivernage.

Sol : comme tous les ormes, il demande une terre argileuse, mais bien drainée : terreau bonsaï légèrement argileux.

Soins de culture

Rempotage : tous les 2 à 3 ans, mais s'il manifeste une baisse de végétation, rempoter plus souvent en mars-avril.

Taille et pincement : taille de formation et ligaturage en mars-avril. Laisser pousser très long les rameaux jusqu'à ce qu'il soit bien touffu et tailler en cours d'été sur 2 feuilles. Il ne faut pas pincer trop souvent les rameaux et permetttre à la plante de conserver un bon volume de végétation une partie de l'année.

Arrosage : fréquents et réguliers toute l'année mais sans excès. Il supporte cependant un léger dessèchement et craint l'excès d'eau.

Fumure - organique : poudre de corne au printemps sur le pot.

- *minérale :* légère en cours de végétation (1 fois par mois en été) avec un engrais liquide.

Parasites et maladies : l'orme est parfois assez sensible aux parasites, pucerons et araignées rouges. Heureusement il n'est pas sensible à la graphiose, maladie qui decime l'orme commun de nos régions.

Notre avis : Bon petit arbre pour l'intérieur. Cultivé en grande série en Chine, la qualité des plants du commerce laisse bien souvent à désirer, et le prix n'est pas toujours justifié pour une telle plante.

LES PSEUDO-BONSAÏS

Dans la liste des monographies qui vient d'être faite, il manque certainement l'une ou l'autre plante traitée en bonsaï, que tel amateur soigne et cultive avec amour.

Toutes les plantes, avons-nous dit, peuvent se traiter en bonsaï.

Certaines plantes cependant sont vendues comme bonsaï du fait de leur aspect un peu curieux ou exotique, mais ils n'ont absolument rien d'un bonsaï. C'est le cas du CYCAS, des DRACAENA et des PALMIERS, par exemple. Pourquoi ne pas mettre en bonsaï les Cactus, si faciles à cultiver et aux formes si étranges ? Il faudra bien un jour se décider à fixer les normes pour le bonsaï-type, quitte à créer une appellation contrôlée des genres et espèces méritant ce nom.

De gauche à droite : Dracaena, Chamaedorea, Cycas et Yucca.

GLOSSAIRE

La définition de la plupart des mots un peu techniques a été donnée au cours de l'ouvrage. Il n'est pas question d'y revenir ici.

Certains mots cependant ont pu être employés sans que leur sens soit toujours évident. Ce petit glossaire doit en permettre une lecture plus claire.

Aisselle : C'est l'insertion d'une feuille sur un rameau, où se situe en général un bourgeon.

Bassinage : Arrosage léger sur feuillage avec une pomme d'arrosoir. Terme fréquemment utilisé en horticulture mais qui a disparu du "Petit Larousse illustré" édition 1989. Le bassinage est voisin de la pulvérisation, mais en moins fin.

Biosphère : Zone de notre planète où se situe la vie.

Cepée : Touffe de rejets sortant d'une même souche, en particulier après la coupe d'un arbre.

Chandelles du pin : Ce sont les bourgeons du pin qui se dressent à l'extrémité des branches à partir de l'automne, un peu comme des bougies.

Charpente d'un arbre : Ensemble des branches et du tronc formant la structure de l'arbre.

Desquamer ou **se desquamer** : Une écorce se desquame quand elle perd sa partie externe morte, par plaque. C'est un phénomène naturel.

Lignifier - se lignifier : Se dit d'un tissu qui s'imprègne de lignine, c'est-à-dire de bois. On utilise aussi le terme **d'aoûtement**, car ce phénomène se passe en général au mois d'août sur les arbres.

Oeil - Yeux : Mot souvent utilisé pour désigner un bourgeon.

Pain de racines - chignon : C'est l'ensemble des racines très serrées ayant poussé dans un pot ou un godet.

Prostré : Une plante à port prostré est une plante rampante ou en touffe restant très près du sol.

Pennée : Se dit d'une feuille dont les folioles sont disposées de part et d'autre d'un pétiole et ayant l'aspect d'une plume.

Rupestre : Qui pousse sur un rocher.

Spore : Comparables aux graines des végétaux supérieurs, les spores assurent la dissémination et la reproduction de certains végétaux (mousses, bactéries, champignons, fougères).

Stomate : Orifice de la tige ou des feuilles qui permet à la plante de respirer et de faire des échanges avec l'atmosphère, notamment de vapeur d'eau. Les stomates sont comparables aux pores de la peau chez l'homme.

Subéreux : Liégeux, constitué par du liège.

Subérifié : Qui s'est transformé en liège.

Subspontané : Se dit d'une plante introduite dans un milieu étranger et qui s'y est parfaitement acclimatée au point de s'y reproduire et de se comporter comme une plante indigène.

Systémique : Produit chimique ou naturel absorbé par la plante (feuilles ou racines) et véhiculé par la sève, laquelle devient toxique pour un parasite ou une maladie.

Thrips : Insecte microscopique (0,5 à 1 mm.) parasite des tissus tendres de certains végétaux.

PRINTEMPS
Mars - Avril

Bonsaï d'extérieur

- ❏ Première mise en coupe ou rempotage si c'est nécessaire dans un terreau approprié.
- ❏ Fertilisation :
  - mélanger de la corne en poudre au terreau de rempotage
  - épandre de la corne à la surface des plantes non rempotées.
- ❏ Taille de formation et taille de nettoyage de la charpente de l'arbre.
- ❏ Ligaturage si nécessaire.
- ❏ Traitement préventif avec un produit mixte en pulvérisation. (Ne pas utiliser de systémique sans effet sur une plante sans feuillage).
- ❏ Arrosage modéré. Eviter les excès.
- ❏ Remise progressive en végétation avec nettoyage de la surface du sol.
- ❏ Sortie à l'air des bonsaïs en prenant beaucoup de précautions
  - aux gelées tardives
  - aux coups de soleil sur les feuilles tendres ou déjà développées à l'abri.

Bonsaï d'intérieur

- ❏ Taille et nettoyage.
- ❏ Reprise progressive de la fertilisation avec un engrais liquide.
- ❏ Rempotage si nécessaire.

ETE
Mai - Septembre

Bonsaï d'extérieur

- ❏ Arrosage : Très régulier. C'est le plus gros souci. Pulvériser par journée sèche et chaude.
- ❏ Taille : Pincement très régulier des feuilles. Pincement des conifères (fin mai à juin).
- ❏ Nettoyage régulier du sol et désherbage.
- ❏ Ligaturage des feuillus.
- ❏ Maladies et parasites. Veiller aux attaques parasitaires favorisées par la chaleur et l'humidité.
- ❏ Ombrer éventuellement les espèces sensibles surtout par grand soleil d'été.

Bonsaï d'intérieur

- ❏ Arrosages réguliers et pulvérisations.
- ❏ Fertilisation régulière.
- ❏ Rempotage possible tout l'été.
- ❏ Taille d'entretien.
- ❏ Parasites et maladies : Attention aux attaques parasitaires. Traiter préventivement.
- ❏ Attention au soleil, surtout pour les plantes situées derrière les baies vitrées.

J BONSAÏ

AUTOMNE
Octobre - Novembre

Bonsaï d'extérieur

❏ Arrosage : Réduire les arrosages sans laisser dessécher. Veiller à l'excès d'eau par fortes pluies d'automne.

❏ Fertilisation : Arrêter toute fumure.

❏ Taille et pincement : Laisser les bois durcir pour l'hiver. Ne plus tailler. La taille sera reprise en mars.

❏ Supprimer les aiguilles jaunes des pins ou les feuilles mortes.

❏ Maladies : Traiter contre les moisissures qui se développent sur les pots du fait de l'humidité.

❏ Rempotage : Seul le Cognassier du Japon doit être rempoté à cette époque.

❏ Préparer l'hivernage des bonsaïs.

Bonsaï d'intérieur

❏ Réduire les arrosages et la fertilisation pour aider au ralentissement de la végétation.

❏ Rentrer à l'intérieur les bonsaïs qui auraient passé l'été dehors.

❏ Prévenir les attaques d'insectes ou de maladies. Les insectes ont tendance à se réfugier à l'intérieur des maisons en automne.

❏ Ligaturage toujours possible sur vos bonsaïs d'intérieur.

❏ Taille normale et pincement si besoin.

HIVER
Décembre - Février

Bonsaï d'extérieur

C'est la période du repos hivernal. Etre attentif à :

❏ La protection contre le froid. En cas de grand froid, couvrir vos bonsaïs enterrés à l'extérieur avec une toile non tissée.

❏ L'arrosage. Vérifier simplement que la terre des bonsaïs reste humide. Lorsqu'elle est sèche, l'humidifier, mais seulement s'il ne gèle pas.

Bonsaï d'intérieur

❏ Eviter les excès d'eau malgré la chaleur ou la sécheresse de l'air.

❏ Pulvérisation : Par contre, pour lutter contre la sécheresse de l'air, pulvériser régulièrement avec de l'eau pure (Evian).

❏ Taille : Maintenir la forme de vos bonsaïs s'il y a des pousses trop importantes, mais en principe il vaut mieux ne rien faire.

❏ Fertilisation : En principe non, mais certaines espèces qui continuent de pousser supportent avantageusement une légère fumure une fois par mois en hiver.

INDEX FRANÇAIS

INDEX LATIN

SOMMAIRE

* Pour le paragraphe "Techniques de multiplication", se reporter à l'ouvrage publié par le même éditeur :

Greffes, Boutures et Semis, par Marcel GUEDJ.

DESSINS et SCHEMAS : Pierre NESSMANN.

CREDIT PHOTOGRAPHIQUE :

Photos SAEP / J.L. Syren sauf :
Noël RECOUVREUR   p. 5, 12, 13, 56, 96 (droite), 109 (gauche).
NESSMANN p. 6, 9, 22, 23, 26, 27, 52, 53, 71.
J.L. KLEIN p. 7, 8, 24.

© S.A.E.P., 1989
Dépôt légal 1er trimestre 1989 n° 1 584
ISBN 2-7372-3203-1
Imprimé en C.E.E.